Manual del Perfecto Ateo.

grijalbo

MANUAL DEL PERFECTO ATEO

© 1980, Eduardo del Río García (Rius)

27a. reimpresión, 2005

D.R. 2005, Random House Mondadori, S.A. de C.V.
      Av. Homero núm. 544, Col. Chapultepec Morales,
      Del. Miguel Hidalgo, C.P. 11570, México, D.F.

www. randomhousemondadori.com.mx

ISBN 968-419-161-8

Impreso en México / *Printed in Mexico*

índice

el autor desea aclarar que para hacer este libro no contó con el Espíritu santo...

Nihil obstat   + Dr. Rius Frius Vic.
KALENDIS SEPT. MCMLXXX

Y SEGÚN LOS FILÓLOGOS, LA PALABRA **ateo** VIENE DEL GRIEGO:

$$a - \Theta\epsilon\acute{o}\varsigma$$

a = sin Theós = dios

¿ de cual dios ?

¿ del THEÓS griego,
del DEUS latino o portugués,
del GOD inglés y holandés,
del GUD escandinavo.
GOTT alemán, KAMI japonés,
ALLAH turco, indonesio o
del JUMALA finlandés?

¿ Será del DIEU francés,
del DIO italiano, del
BOG polaco o el BOKH
ruso; del ILAH árabe
o del brevísimo EL
hebreo o del rumano
DUMNEZEU o del
DIOS español.. ??

de TODOS.
Un ateo niega
la existencia de
todo dios, sea
quien sea..

9

pero no: un ateo que se respete debe conocer todo lo relacionado con el tal multicitado dios, aunque no crea en su existencia; conocer todas las teorías religiosas que han hecho los humanos sobre "eso" que llaman dios (con mayusculas)

para eso es este libro

BREVE
BIOGRAFIA
DE DIOS

LOS AUTONOMBRADOS BIOGRAFOS DE DIOS, NOS HEMOS TOPADO CON UN SIN FIN DE DIFICULTADES PARA ELABORAR ESTA BIOGRAFÍA, EMPEZANDO POR LA MAYOR (DIFICULTAD, NO BIOGRAFÍA) QUE ES ESTA:

nadie ha visto a dios

ES DECIR, QUE LLEVAMOS QUIÉN SABE CUÁNTOS MILLONES DE AÑOS HABLANDO DE DIOS SIN QUE <u>NADIE</u> LO HAYA VISTO, NI SEPA QUÉ CARA TIENE, DE QUÉ COLOR ES SIQUIERA Y QUÉ TAL ES DE CARÁCTER...

Así está medio difícil hacer una biografía

14

AQUÍ LOS QUERÍA VER, SEÑORES:

¿ cual es el verdadero y único dios..?

¿ EL QUE ADORAN LOS CRISTIANOS, EL QUE VENERAN LOS JAPONESES, EL QUE TIENEN LOS ESQUIMALES, EL QUE RESPETAN LOS ÁRABES, EL QUE ES ADORADO POR LAS TRIBUS AUSTRALIANAS O EL DIOS QUE TIENEN EN SUS CASAS LOS AFRICANOS... ?

DIOS

¿ CON QUÉ CRITERIO DIAGNOSTICAR CUAL ES EL <u>VERDADERO</u> DIOS ?

¿ El que tiene más brazos ?

¿ El que tiene más hijos ?

¿ El que tiene más poderes mágicos ?

USEMOS UN POQUITO DE OTRA CIENCIA QUE INTERVIENE EN ESTE LIBRO : LA **LÓGICA**...

ÉSO: LO LÓGICO ES QUE EL DIOS MÁS <u>ANTIGUO</u> SEA EL BUENO..!

O-KEY : EL MÁS ANTIGUO...

17

He aquí, en un alarde técnico, la vera efigie del dios más antiguo:

PERO ASÍ FUE: LA TREMENDA IGNORANCIA DE LOS PRIMITIVOS SOBRE EL MUNDO QUE LOS RODEABA HIZO QUE VOLVIERAN SU VISTA AL CIELO DONDE OBJETOS DESCONOCIDOS APARECÍAN Y DESAPARECÍAN SIN EXPLICACIÓN ALGUNA, INFLUYENDO GRANDEMENTE SOBRE LA VIDA DE TODO, FUERAN SERES HUMANOS, ANIMALES, PLANTAS U OTRAS COSAS..

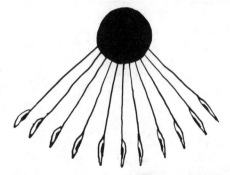

EL CULTO AL SOL Y A LA LUNA FUE EL PRIMERO ENTRE CASI TODOS LOS PUEBLOS DE LA REMOTÍSIMA ANTIGUEDAD: DRUIDAS, CHINOS, AZTECAS, EGIPCIOS, JAPONESES, MALAYOS, PERSAS, HINDÚS, ASIRIOS, SUMERIOS...etc.

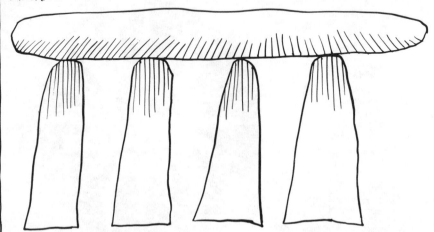

AL SOL LE SACRIFICABAN ANIMALES Y HASTA HOMBRES, MUJERES Y NIÑOS CON LA IDEA DE MANTENERLO CONTENTO. (EN serio..)

¿Y LOS MUERTOS? ¿QUÉ PODER MISTERIOSO SE LOS LLEVABA Y A DÓNDE? NO TENIENDO RESPUESTAS, EL HOMBRE INVENTÓ PODERES SOBRENATURALES A TODO CUANTO LO RODEABA: EL AIRE, LAS AGUAS, LAS PIEDRAS, LOS ANIMALES, LOS BOSQUES, EL FUEGO, LA LLUVIA... Y EMPEZARON A NACER LOS DIOSES...

21

"TODO LO QUE NO CONOCEMOS ES MILAGROSO"

DIJO TÁCITAMENTE TÁCITO VIENDO A LA GENTE CREER EN LOS PODERES "SOBRENATURALES" DE LOS DIOSES QUE SE HABÍAN INVENTADO...

EN SU BUSCA DE EXPLICARSE CÓMO OCURRÍAN COSAS QUE ÉL NO PODÍA HACER, EL HOMBRE ANTIGUO DESARROLLÓ LA CREENCIA EN LO SOBRENATURAL

EN TODAS PARTES Y EN TODAS LAS TRIBUS, EL HOMBRE CREÓ DIOSES MENORES QUE EL SOL O LA LUNA —SU MUJER—, DIOSES LOCALES QUE SE CONVERTÍAN EN INVISIBLES, QUE VOLABAN POR LOS AIRES, QUE CAMINABAN SOBRE EL AGUA Y ATRAVESABAN LA TIERRA... GRACIAS A LOS PODERES QUE LES OTORGARAN LOS GRANDES DIOSES...

22

DIOSES, GENIOS, ERINIAS,
ESPÍRITUS, ÁNGELES, ESFINGES,
FANTASMAS, MÓNSTRUOS, MUSAS,
NAGÜALES, NINFAS, SIRENAS,
GNOMOS, DEMONIOS, FAUNOS,
DUENDES, CENTAUROS,
MENSAJEROS, DRÍADAS, GIGANTES,
SERES TODOS CON PODERES
CAPACES DE TODO: DE
CAMBIAR EL
CURSO DE UNA
BATALLA, DE
PRODUCIR GRANDES
COSECHAS, DE
TRAER SALUD
O PROVOCAR LA
MUERTE DEL
ENEMIGO, DE
HACER EL BIEN... O EL MAL.

EN SUMA: LOS PODERES DE LOS "DIOSES" ESTABAN LIMITADOS SÓLO POR LA HABILIDAD O IMAGINACIÓN DEL HOMBRE QUE LES ATRIBUÍA ESOS Y OTROS PODERES. LOS DIOSES SURGÍAN DE LA IMAGINACIÓN Y LA NECESIDAD DEL HOMBRE. NADA MÁS.

El hombre se convirtió así en CREADOR (de dioses, para empezar..)

(ES LO QUE SE LLAMA "PANTEÍSMO" = todo es dios...) ← INSERCIÓN PEGADA. 23

¡MOMENTO! ESTA NO ES LA BIOGRAFÍA DE DIOS QUE LES PEDÍ, SEÑORES...

¿POS NO VE QUE APENAS VAMOS EN EL AÑO 60 MIL ANTES DE NUESTRA ERA?

¿QUIERE ACASO LA BIOGRAFÍA DEL SOL?

Y MUCHO ANTES, ¡PERO MUCHO ANTES!, HACE 30 MIL AÑOS, EL HOMBRE HIZO SUS PRIMEROS DIOSES EN FORMA DE FIGURITAS DE BARRO O DE PIEDRA...

LA INVENCIÓN DEL DIOS ÚNICO LA HICIERON UNOS LISTÍSIMOS HEBREOS MIL CUATROCIENTOS AÑOS ANTES DE CRISTO..!

© 1400 A.C.

24

(Y DIOS RESULTÓ SER MUJER..)

LOS PRIMEROS ÍDOLOS QUE EL HOMBRE VENERÓ FUERON TOSCAS FIGURILLAS QUE REPRESENTABAN A MUJERES EMBARAZADAS, Y TAMBIÉN TOSCOS FALOS VIRILES Y ERECTOS QUE SIMBOLIZABAN LA FERTILIDAD.

Estas son algunas famosas "VENUS" prehistóricas.

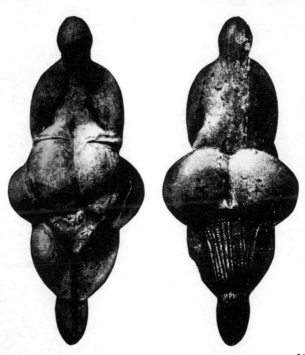

25

EL NACIMIENTO DE UN NUEVO SER, -PENSABAN LOS ANTIGUOS- ERA UN DON DE LOS DIOSES. LUEGO, EL FALO Y LA MATRIZ DEBÍAN TENER PODERES MÁGICOS, DIVINOS...

consígueme una gordita, pero no muy regañona..

que no me pegue en la cara y no me enojo, diosito..

DIOS FALO hindú.

¡MILAGROS CADA NUEVE MESES!

Bueno... a Dios rogando y con el mazo dando...

El éxito tremendo de aquellos primeros dioses que lograban continuos nacimientos entusiasmó a la gente, que decidió fabricar más y más dioses para conseguir éxitos en otras actividades donde las dificultades eran más serias...

¡UN DIOS DE LA CAZA SERÍA UN ÉXITO!

y empezó la fabricación en serie

¿LO QUIERE PARA NEGOCIO O PARA SU CASA?

CADA PUEBLO INVENTÓ SUS DIOSES (CON TODO Y PROPIEDADES) NO QUEDANDO CAMPO ALGUNO SIN CUBRIR. LOS EGIPCIOS LOGRARON UNA DOCENA DE DIOSES MAYORES LLENOS DE VIRTUDES, NO SOLO DIVINAS SINO INCLUSIVE ANIMALES. HELOS AQUÍ:

Horus   Hathor   Anubis   Isis   Nepthys   Osiris

Re   Thoth   Amon-Re   Ptah   Tefnut   Set

LOS SUMERIOS NO SE AMILANARON. DEMOSTRANDO AL MUNDO TENER UNA IMAGINACIÓN EN GRANDE: LOGRARON UN RECORD DE 3 MIL DIOSES DISTINTOS.

← Enki, dios de las aguas frescas.

Para alojar a tanto dios, primero hicieron santuarios, luego templos y luego complicados edificios en honor de los caprichosos dioses que casi nunca otorgaban los favores pedidos. Finalmente se aburrieron de pasarse la vida rezándoles y pidiéndoles cosas... y optaron por hacerse representar en el templo fabricándose estatuas personales que depositaban en frente de los dioses. No se sabe si hacían lo mismo en su casa cuando dejaban de llegar una semana por andar de parranda con los amigotes y amigotas sumerias...

LA CREACION DE DIOSES, DIOSAS, DIOSECILLOS Y DEIDADES TUVO UN AUGE INSOSPECHADO EN TODOS LOS CONTINENTES : CHINA, JAPÓN, MÉXICO, LA INDIA, LOS POLINESIOS, LOS POLACOS, LOS GRIEGOS NO SE DIGA, (INCLUSO EXPORTARON A OTROS PAÍSES), LOS INDIOS DE NORTE AMÉRICA, LOS HEBREOS... ¡TODO MUNDO SE DEDICÓ A CREAR DIOSES!

¡Toda clase de dioses, de todos los gustos y colores!

→→→

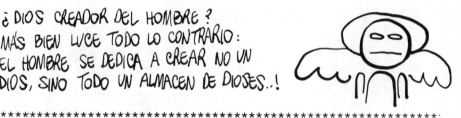

¿DIOS CREADOR DEL HOMBRE?
MÁS BIEN LUCE TODO LO CONTRARIO:
EL HOMBRE SE DEDICA A CREAR NO UN
DIOS, SINO TODO UN ALMACEN DE DIOSES..!

****

MINERVA(Grecia),diosa de las Ciencias y Artes
KORSCHA (Eslava),diosa de los placeres
FORTUNA (Roma),de las mujeres solteras
GOTSITEMO(Japón),dios de la Medicina Preventiva
AUSCA(Polonia),diosa de la Aurora
BATIVONU (Polinesia),dios de las tortugas
MAMMON (Fenicia),dios de la riqueza
KIKIMORA (Rusia),dios de la noche y el sueño
HUITZILOPOCHTLI(Azteca),dios de la guerra
AS SABINUS (Etiopía),dios de la canela
MNEMOSINA (Grecia),diosa de la memoria
POUSA (China),diosa de la porcelana
SUCHA (Perú),diosa del buen beber
PIDROVATI (India),dios de los muertos
PELé (Hawaii),dios de los volcanes
COYOLXHAUQUI (Azteca),diosa de la luna
CANOPUS (Egipto),dios de las aguas
HARPOCRATES (Grecia),dios del silencio
MUL-TUN-TZEC (Maya),dios del miedo
THOR (Escandinavia),dios del trueno
PALES (Roma),de la fecundidad del ganado
SATURNO (Grecia),dios del tiempo
ULLER (Escandinavia),dios del hielo
AFRODITA (Grecia),diosa del amor y la belleza
AGOYO (N.Guinea),dios del buen consejo
CENTEOTL(Azteca),dios del maíz
EOLO (Grecia),dios de los vientos

CON UDS. GROMLA, DIOS AFRICANO DE LA ADIVINACIÓN

LOS ROMANOS, AMÉN DE SUS 400 Y PICO DE DIOSES, TENÍAN SUS DIOSES CASEROS, LOS LARES ≫≫ "ENCARGADOS" DE QUE NO FALTARA NADA EN EL HOGAR.

SOBRE TODO VINO ÷ ¡hic!

OTRA DIOSA MUY SOLICITADA EN ROMA ERA **HETAIRA**, PROTECTORA DE LAS PROSTITUTAS, MIENTRAS LOS LADRONES ESLAVOS SE ENCOMENDABAN AL DIOS **POREWITH**, SU MUY DIVINO PROTECTOR.

LO INTERESANTE DE TODO ESTO NO ES QUEDARNOS EN LO ANECDÓTICO O LO FOLKLÓRICO, SINO VER QUIÉN, CÓMO Y PARA QUÉ CREA A LOS DIOSES...

rollo
num. **2**

DIOS, S.A.

¿De qué
color será
DIOSito?

Desde sus orígenes, la relación del hombre y la naturaleza tiene un doble aspecto: el dominio que las todopoderosas fuerzas naturales ejercen sobre el hombre, incapaz de entenderlas siquiera -ya no digamos de controlarlas-; y el dominio que poco a poco, gracias a sus instrumentos de trabajo, medios de producción y capacidad, consigue el hombre sobre la naturaleza.

ESE "POCO a POCO" viene a ser una especie de TÉCNICA (conocimiento de plantas, de fenómenos naturales, de funciones anatómicas) mediante la cual el hombre primitivo cree poder influir de modo fantástico sobre la todopoderosa naturaleza...

ESA "TÉCNICA" ES PRECISAMENTE LA **MAGIA**...

CONFUNDIDA CON LA RELIGIÓN, LA MAGIA ES PRONTO APROVECHADA Y LOCALIZADA EN ALGUNOS INDIVIDUOS QUE SE SUPONEN DOTADOS DE "PODERES" EXTRAORDINARIOS.

Lo que pasa es que uno es más observador y listo que los demás..

INDIVIDUOS QUE, GRACIAS A SUS MAYORES CONOCIMIENTOS O AL DESARROLLO DE SUS FACULTADES SENSORIALES LOGRAN DETENER ALGUNA ENFERMEDAD, PREVER ALGÚN ACONTECIMIENTO, EXPLICAR ALGÚN FENÓMENO O, EN UNA PALABRA

hacer creer

A LOS DEMÁS EN LO QUE ELLOS QUERÍAN, ATRIBUYENDO SUS "FACULTADES" A ACUERDOS O REGALOS DE LOS DIOSES.

Y ASÍ NACIERON LOS MAGOS, BRUJOS (O SACERDOTES..)

(Y CON ELLOS, LA PRIMER MINORÍA DOMINANTE, LA PRIMER CLASE EXPLOTADORA...)

EL SACERDOTE, ES DECIR EL MAGO, SE ATRIBUYE Y SE INVENTA UNA "REPRESENTACIÓN" DE LOS DIOSES: GRACIAS A ESOS PODERES LOGRA COMUNICARSE CON LOS DIOSES Y SERVIR DE "ENLACE", VOCERO Y RECEPTOR DE SUS DESEOS...

EL DIOS QUIERE QUE LE LEVANTEN UN TEMPLO SOBRE EL CERRO...

EL RAZONAMIENTO ES MUY SIMPLE Y "LÓGICO" PARA LOS HOMBRES IGNORANTES DE TODO:

LOS DIOSES SON LOS QUE MANEJAN TODO: EL SOL, LA LUNA, LAS ESTRELLAS, LA LLUVIA, LOS VOLCANES, LOS MARES, LAS PLANTAS, LOS ANIMALES.. Y LOS HOMBRES.

SI ÉSTOS NO SE PORTAN BIEN CON ELLOS, LOS DIOSES SE ENOJAN..

Y SI SE ENOJAN, NOS MANDAN PLAGAS, TERREMOTOS, PESTES, INUNDACIONES Y MUERTE..

PERO SI LOS TENEMOS CONTENTOS, NOS DARÁN MUCHO QUE COMER, QUE BEBER Y UN ARCO-IRIS DE FELICIDAD EN TECHNICOLOR...!!!

Y SI OBEDECEMOS SUS LEYES, NOS ALOJARÁN EN SU HOTEL EN LA OTRA VIDA..

ESTA FUE LA PRIMER IDEOLOGÍA DE UNA RELIGIÓN.. Y LA QUE SE SIGUE AUN PRACTICANDO ENTRE LA GENTE AUN IGNORANTE ...

1

LA IDEA DE UN DIOS CREADOR QUE MORA EN UN LUGAR ESPECIAL

LOS CIELOS

DESDE DONDE MANEJA TODO EN PLAN OMNIPOTENTE VIGILANDO EL COMPORTAMIENTO DE LOS HUMANOS.

2

DICHO DIOS CREADOR CREÓ A SU VEZ OTROS DIOSES O TUVO HIJOS CON LA TIERRA O CON ALGUNA TERRÍCOLA: (UN HOMBRE HECHO DIOS)

↓

ESE HOMBRE HECHO DIOS FUNDÓ EN LA TIERRA LA VERDADERA Y ÚNICA RELIGIÓN DEL DIOS CREADOR (NO FALTABA MÁS)

3

LOS HUMANOS QUE SIGUEN ESA RELIGIÓN (LEYES Y RITOS) SERÁN BIEN VISTOS POR DIOS

QUIEN AL MORIR SE LOS LLEVARÁ A VIVIR CON ÉL, O LOS CASTIGARÁ CON EL INFIERNO SI NO SE PORTARAN BIEN...

AMEN

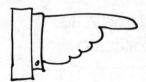

ESE ES, EN APRETADA SÍNTESIS, EL KNOW-HOW DE CUALQUIER EMPRESA RELIGIOSA, FÓRMULA SECRETA QUE HA TENIDO ÉXITO DESDE HACE UNA TURRUTERA DE SIGLOS Y SIGLOS...

UNA PERSONA, UN "CREYENTE" DEBE CREER PUES, EN ESTAS **CUATRO** COSAS, BÁSICAMENTE :

1 EN UN PODER SUPERIOR

2 EN VIVIR DE ACUERDO A LOS **DESEOS** DE ESE PODER

3 EN **PEDIRLE** A ESE PODER COSAS

4 EN LA OTRA VIDA, QUE SERÁ DE ACUERDO AL COMPORTAMIENTO EN ÉSTA

COMO SE VE, EL MOTOR DE TODA RELIGIÓN ES EL TEMOR A SER CASTIGADO POR EL SER SUPREMO: NO HAY OTRA MOTIVACIÓN EN NINGUNA RELIGIÓN...

el temor a lo desconocido...

el famoso "TEMOR DE DIOS."

LOS BRUJOS, LOS MAGOS, LOS SACERDOTES, UTILIZARON MAGISTRALMENTE LA IGNORANCIA DEL HOMBRE PARA HACERLO "CREER"... Y YA CREYENDO, MANEJARLO A SU GUSTO Y CONVENIENCIA...

¿QUÉ DEBO HACER PARA NO SER CASTIGADO?

¡¿CÓMO APLACAR A LOS DIOSES?!

43

A VER, A VER...
¿**CÓMO** ES QUE LOS HOMBRES SE ENTERARON DE CUAL ERA LA VOLUNTAD DE LOS DIOSES Y **CÓMO** ES QUE CONOCIERON SUS LEYES..?

MUY SENCILLO: DIOS SE "COMUNICÓ" CON SUS CORRESPONSALES EN LA TIERRA (MAGOS, BRUJOS, SACERDOTES)...

¿ DIGA ?

44

¡RÁPIDO: TOMA LÁPIZ Y PAPEL QUE TE VOY A DICTAR UNAS CUANTAS LEYES!

CURIOSO. SIN EMBARGO, QUE EN CUANTA OCASIÓN LOS DIOSES DICTARON SUS DESEOS, ESTOS HAYAN SIDO DIFERENTES PARA LAS DISTINTAS RELIGIONES...

A LOS CALDEOS LES DIJO UNA COSA, A LOS AZTECAS OTRA, DISTINTA A LA DE LOS EGIPCIOS Y MUY OTRA A LOS HEBREOS..

¿PROBLEMAS DE TRADUCCIÓN O DESCONOCIMIENTO DIVINO DE LAS DIFERENTES RELIGIONES..?

¿O MALA INTERPRETACIÓN DE LOS CORRESPONSALES?

LOS DIOSES TODO LO PUEDEN: SEGURAMENTE ESTABAN MAL LAS COMUNICACIONES

DIGNO TAMBIÉN DE ANALIZARSE ES EL HECHO DE QUE DIOS NO HA VUELTO A COMUNICARSE CON NADIE DESDE HACE MÁS DE DOS MIL AÑOS..!!

ES EL CASO QUE LOS DIOSES —POR MEDIOS Y FORMAS NO MUY CLAROS— "INSPIRARON" A DIVERSAS GENTES PARA QUE TRANSMITIERAN A LOS DEMÁS MORTALES SUS DESEOS... PERO LO MÁS CURIOSO ES QUE NUNCA SE DIRIGIÓ A LOS POBRES, Y <u>SIEMPRE</u> A MIEMBROS DE LAS CLASES DOMINANTES...

SEA COMO SEA,
ES EL CASO QUE
DIOS "EXPRESÓ
SU VOLUNTAD" A
LOS HUMANOS,
VOLUNTAD QUE
QUEDÓ ESCRITA
EN LOS LIBROS
SAGRADOS DESDE
TIEMPOS MUY
INMEMORIALES..

LA BIBLIA
EL POPOL-VUH
EL CORÁN
EL CHILÁN-BALAM
EL UGARIT
EL MIQRAIT
EL RIG VEDA
EL AVESTA
EL LIBRO DE LOS MUERTOS
EL RAMAYANA
EL ADIGRÁN
EL TAO TE KING
EL TRATADO DE LAS ACCIONES
EL LIBRO DE CONFUCIO
LOS SAGAS
EL NUEVO TESTAMENTO
EL LIBRO MORMÓN
EL CIENCIA Y SALUD
(TODOS **BEST-SELLERS**..)

¡ Hombre:
escritos
por Dios !

47

TODOS LOS LIBROS MENCIONADOS CONSTAN DE VARIOS CAPÍTULOS:

a) MEMORIAS DE DIOS
b) TESTAMENTO DE DIOS
c) LEYES DE DIOS
d) RITOS A SEGUIR
e) ANECDOTARIO

¡ EL DIA QUE COBRE MIS DERECHOS DE AUTOR...!

Pero ninguno trae "Fe de erratas"

PORQUE - YA LO DIJIMOS ANTES - NADA COINCIDE ENTRE LOS DISTINTOS LIBROS DICTADOS POR DIOS: NI SUS MEMORIAS, NI SUS DESEOS, NI SUS LEYES, NI LOS RITOS QUE ORDENA EN SU HONOR...

¿ cual diablos será el "BUENO"?

48

Y LO MISMO
QUE PASA CON DIOS,
PASA CON "SUS" LIBROS:
¿CUAL ES EL VERDADERO
TESTAMENTO, CUALES SUS LEYES?
¿CUÁLES SUS MEMORIAS Y SUS
ANÉCDOTAS? ¿ALGUIEN LO SABE?

MEJOR PREGUNTÉMONOS DESPOJADOS DE PREJUICIOS Y FANATISMO:
¿HAY ALGUN LIBRO "DIVINO" DIGNO DE SER CREÍDO..?

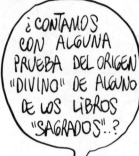

¿CONTAMOS CON ALGUNA PRUEBA DEL ORIGEN "DIVINO" DE ALGUNO DE LOS LIBROS "SAGRADOS"..?

¿BASTA O NO BASTA CON TAN CONTUNDENTE PRUEBA?

NO: SÓLO LA PALABRA DE LOS MAGOS, BRUJOS, SACERDOTES, MINISTROS, PASTORES, MONJES, LAMAS. O COMO QUIERAN LLAMARLOS.

SINCERAMENTE

NO

DE MODO Y MANERA QUE SEGUIMOS ADELANTE CON LA BÚSQUEDA DE PRUEBAS A FAVOR DE LA PRETENDIDA DIVINIDAD DE LOS LIBROTES SANTOS, INCLUÍDA LA BIBLIA

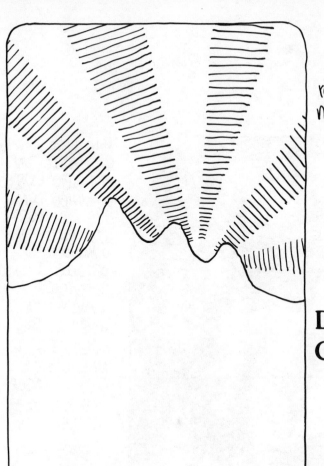

DIOS/OBRAS COMPLETAS

..O EL MISTERIO DE QUIÉN COBRA LOS DERECHOS DE AUTOR DEL SEÑOR JEHOVÁ..

TODO HACE SUPONER QUE, DESDE UN PRINCIPIO, DIOS SE COMUNICÓ CON SUS ELEGIDOS Y LES CONTÓ —MÁS O MENOS AL DETALLE— TODO LO REFERENTE A SU VIDA Y A LA CREACIÓN DEL MUNDO. ES LO MÁS LÓGICO SI QUERÍA HACER SABER AL HOMBRE SU VOLUNTAD...

Shhh: no hablen tanto que no entiendo.. ¿Dijo Asunción o Ascención?

LOS PRIMEROS LIBROS SAGRADOS NOS DAN AQUÍ SUS DISTINTAS VERSIONES DE **LA CREACIÓN**

versión persa

El dios bueno,ORMUZ,
vivía junto al malo,
AHRIMAN,hasta que un
día el malo trató de
quedarse con el rei-
no de Ormuz. La lucha
duró de 9 mil a 13
mil años,hasta que el
bueno ganó y con los
restos de los malos
se hizo el universo.
  Sólo el Sol y la
Luna se hicieron con
partículas puras.
Luego fue creado el
primer hombre,ancho
como alto:GAYOMART,
que por meterse con
JEH,diablesa y pros-
tituta,fue castigado
y herido de muerte,
expulsando su semen
sobre la tierra,del
cual nació como una
mata de ruibarbo la
pareja de MALYA y
MALYANAG. Ormuz les
dijo que no debían
adorar al demonio
, pero lo hicieron y
fueron castigados no
teniendo hijos hasta
no tener 50 años.

versiones egipcias

En el origen
del tiempo no
existía más
que el CAOS,o
sea el agua
oscura y fría.
A continuación
el dios Sol se
creó a sí
mismo y luego
se masturbó,
naciendo de su
materia el
agua y el aire
(SHU y TEFNUT),
de los que
nacieron más
tarde GEB (el
dios-tierra) y
NUT(diosa-cielo)
naciendo de
ellos otros
dioses hasta
completar el
Politburó de
los NUEVE
grandes dioses
egipcios.

Según la Teoría de
Hermópolis,distinta de
la anterior llamada de
Heliópolis,THOT,supre-
mo dios,es el origen
de lo creado. Surgió
por sí mismo del CAOS
y creó a 8 dioses,
-cuatro parejas- que
elaboraron un huevo
del que salió el SOL,
que creó y organizó
el mundo,tras subyugar
a los demonios del mal
y poner órden sobre
el universo.

versión hindú

INDRA, dios bueno y VRITRA, dios malo se pelearon por el dominio del cielo, la tierra y la atmósfera. Indra rompió a Vritra el espinazo y de su vientre nacieron las aguas que, preñadas por el sol,
dieron a luz a todos los elementos necesarios para el universo: humedad, luz, calor, cielo y tierra. Así terminó el Caos y quedó el órden establecido para ser mantenido así por los hombres.

versión china

El cielo y la tierra estaban en el principio mezclados, igual que lo están dentro de un huevo la clara y la yema. Dentro de ellos se generó una lucha, naciendo PAN-KU (lo antiguo replegado sobre sí mismo) que se convirtió en todo lo existente al ser aprovechado todo su cuerpo para formar el universo.
Luego, la diosa NUE-KA empezó a modelar a los hombres con tierra amarilla, mas urgida de acabar, tendió una cuerda en el barro y tiró de ella hacia arriba para que las criaturas tuvieran la postura vertical.
Por ello los mejores hombres son de color amarillo y los de segunda, de barro.

versión griega

Del seno del CAOS surgió GEA (tierra) de la que luego se separaron EROS (el amor) y TARTARO (el abismo subterráneo) Después GEA engendr al cielo, el mar y las montañas (Urano, Ponto). Urano luego tuvo 12 hijos, los TITANES (6 parejas, que representan las fuerzas de la naturaleza. Casados los Titanes entre sí, dieron a luz todo lo que existe en el Universo, en forma de dioses.

versión escandinava

Al principio no existía más que un abismo,que acabó por condensarse en dos partes,una cálida y otra brumosa.De las brumas nacieron 12 ríos,que convertidos en hielo proporcionaron la materia sólida.La parte cálida eran las llamas.De su encuentro nació YMIR,ser colosal que fue alimentado por la vaca AUDUMLA. Después apareció BURI, cuyo hijo se casó con la hija de un gigante y tuvieron tres hijos:VILI,VE y ODIN. Entre los tres mataron a YMIR y a todos los gigantes,menos uno, cuya descendencia sigue peleando con los dioses. El cuerpo de Ymir.sirvió de materia para la creación del mundo: de sus cejas nació la Tierra y de su cerebro las nubes.

  La primer pareja humana fueron ASKR y HEMBLA,de creación divina,que procrearon despuéa a muchos escandinavitos.

versión azteca

En el decimotercer cielo residían,en meditación casi eterna,OMETECUHTLI (Señor de la Dualidad) y OMECIUATL (Señora diosa de lo mismo), pensando cómo organizar el nacimiento de todo. El dios lo era del Fuego-Sol y la señora de la Tierra-Luna.

  De su unión nacieron los restantes dioses,empezando por los 4 principales que fueron Tezcatlipoca,Xipe Totec,Quetzalcoatl y Huitzilopochtli, quienes crearon a su vez el Universo y el hombre y a todos los demás dioses y diosas aztecas.

TODAS
ANTERIORES
O MÁS O MENOS
CONTEMPORÁNEAS
A LA VERSIÓN
HEBREA...

QUE VAMOS
A VER AQUÍ
TEXTUALMENTE
PARA
COTEJARLA
AL
UNÍSONO ≫→

En el principio creó Dios los cielos y
la tierra. Y dijo Dios,sea la luz, y fue
la luz...
Y vio Dios que la luz era buena y apartó
la luz de las tinieblas.
Y dijo Dios: Haya expansión enmedio de
las aguas y apartó las aguas que estaban
debajo y así fue.
Y llamó Dios a la seca Tierra y a la
reunión de las aguas,Mares.
Y dijo Dios: Produzca la tierra hierba
verde y árbol que dé fruto.Y así fue.
E hizo Dios las dos grandes lumbreras,la
mayor para que señorease en el día y la
menor en la noche.E hizo las estrellas.
Y dijo Dios: Produzcan las aguas reptiles
y aves que vuelen sobre la tierra.
Y creó Dios las grandes ballenas y toda
cosa viva que anda arrastrando.
Y dijo Dios: Hagamos al hombre a nuestra
imagen y semejanza y señoree en los peces
del mar y en las aves de los cielos y en
toda la tierra y en todo animal.
Y creó Dios al hombre a su imagen: varón
y hembra los creó.Y les dijo:Creced y
multiplicáos y henchid la tierra y
sojuzgadla.
Y vio Dios todo lo que había hecho y he
aquí que era bueno en gran manera.
Y acabó Dios en el día séptimo y reposó de
toda su obra que había hecho.

LO ANTERIOR
FUE UN BREVIARIO
CULTURAL DEL
GENESIS,EL
LIBRO PRIMERO
DE LA BIBLIA

LA CREENCIA EN LO QUE DICE LA BIBLIA FUE **IMPUESTA** A SANGRE Y FUEGO EN CASI TODO EL MUNDO: RECUÉRDESE LA INQUISICIÓN, LA CONQUISTA DE AMÉRICA, LA COLONIZACIÓN DE ASIA Y ÁFRICA, LAS CRUZADAS, LA TOMA DE CHINA Y JAPÓN POR LOS MISIONEROS, LAS CRUZADAS JESUÍTAS, LAS GUERRAS CONTRA LOS INFIELES... Y PARE UD. DE CONTAR!

EL DIOS BUENO ES EL DIOS DEL CONQUISTADOR!

(O MÁS ACTUAL: LAS MATANZAS DE LA IGLESIA FRANQUISTA CONTRA LOS "ROJOS")

EN **TODA** LA HISTORIA DE LA HUMANIDAD, LOS DIOSES DEL PUEBLO CONQUISTADO HAN PASADO A LA CATEGORÍA DE "DIOSES FALSOS", Y SU RELIGIÓN, SUS LIBROS SAGRADOS, SUS RITOS, PROHIBIDOS Y DESTRUIDOS... (LA HISTORIA LA ESCRIBEN LOS VENCEDORES, DICEN POR AHÍ..)

¿ QUÉ ES LO QUE HA HECHO "AUTÉNTICO" AL DIOS DE LOS HEBREOS SOBRE TODOS LOS DEMÁS DIOSES ?

¿ EN BASE A QUÉ SE AFIRMA QUE LA VERDAD **SÓLO** ESTÁ EN LA BIBLIA Y QUE LOS DEMÁS LIBROS SAGRADOS SON SÓLO LEYENDAS Y MITO ?

¿ NOS VOLVIMOS "CRISTIANOS" POR LA FUERZA DE LA RAZÓN O POR LA RAZÓN DE LA FUERZA ?

¿ YA VAN A METERSE CON LA SANTA BIBLIA ?

PUES SÍ, PORQUE CRISTO ES EL DIOS QUE NOS DEPARÓ EL DESTINO POR ACÁ...

VEAMOS: LA TIERRA CUENTA POR AHORA CON **3700** MILLONES DE INQUILINOS, DE LOS CUALES **900 MILLONES** SE DICEN CRISTIANOS...

CATÓLICOS, ORTODOXOS, PROTESTANTES, MORMONES, ETC.

OTROS **1654** MILLONES PRACTICAN O SE DICEN CREYENTES DE OTROS RITOS:

BUDISTAS, MAHOMETANOS, TAOISTAS, JUDÍOS, HINDUISTAS, etc.

$$\begin{array}{r} 1654 \\ + \ 900 \\ \hline 2554 \end{array}$$ ¿Y EL RESTO?

LOS DEMÁS, UNOS **1146 MILLONES** DE SERES HUMANOS, NO CREEN EN NADA DE DIOSES.

O SEA: SORPRESA GENERAL...

$$\begin{array}{r} 1146 \\ 1654 \\ \hline 2800 \end{array}$$

SÓLO LA TERCERA.. ¡NO, LA **CUARTA** PARTE DE LA HUMANIDAD CREE EN CRISTO!

A NOSOTROS NOS TOCÓ VIVIR BAJO LA CIVILIZACIÓN CRISTIANA, QUE TIENE COMO LIBRO SAGRADO LA **BIBLIA**, DE MODO QUE... NI MODO.

CON LA BIBLIA HEMOS TOPADO, SANCHO AMIGO...

HOLY HOLY

¿ QUÉ ES LA **BIBLIA** ?

Todos los diccionarios y enciclopedias que la llamada civilización cristiana ha elaborado para los cerebros de sus lectores dicen que la Biblia es:

"SAGRADA ESCRITURA O COLECCIÓN DE LOS LIBROS SAGRADOS ESCRITOS BAJO LA INSPIRACIÓN DEL ESPÍRITU SANTO.."

(diccionarios y enciclopedias que se dicen "científicos")

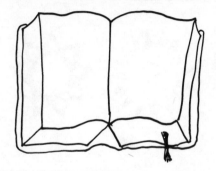

LA BIBLIA PUES, NO ES UN SOLO LIBRO, SINO UNA ANTOLOGÍA DE LIBROS (SETENTA Y UNO EXACTAMENTE) QUE FUERON ESCOGIDOS POR LA IGLESIA CATÓLICA COMO "AUTÉNTICOS" EN 1563, BAJO EL CONCILIO DE TRENTO...

Y aquí empiezan los problemas..

..O SEA QUE DIOS (¿CUÁL DIOS?) SE APARECIÓ 71 VECES (¿CUÁNDO?) A 71 POETAS O ESCRITORES (¿QUIÉNES?) PARA DICTARLES SUS MEMORIAS (¿CÓMO?)

Porque resulta que los hebreos tenían varios dioses -antes y después de Moisés- entre ellos AZAZEL, CHEMOS, MOLOC, BAAL, ABADDON, MAMMON, AZRAEL, ASTARTÉ (diosa de la LUNA a quien el rey Salomón hizo un templo en el Monte de los Olivos, en Jerusalem..)

¡PUES NO FUE NINGUNO DE ESOS DIOSES O ÁNGELES, SINO OTRO QUE LOS HEBREOS NO CONOCÍAN!

EL ESPÍRITU SANTO

61

TRES SÍMBOLOS TRES DEL DIOS LLAMADO "ESPÍRITU SANTO"

EN TODO EL ANTIGUO TESTAMENTO —ES DECIR EN LOS LIBROS QUE SE ESCRIBIERON <u>ANTES</u> DE CRISTO— JAMÁS SE MENCIONA ESE DIOS...

CREO QUE ERA LA OVEJA NEGRA DE LOS DIOSES...

ASÍ PARECE, YA QUE SU PRIMERA APARICIÓN EN ESTE MUNDO FUE EN OCASIÓN DE HABERLE HECHO UN NIÑO A UNA DONCELLA DE NAZARETH LLAMADA MARÍA, A QUIEN BAUTIZARON COMO JESÚS...

¿FUE ACASO EL MISMO DIOS QUE DICTÓ SUS MEMORIAS O INSPIRÓ VERSOS Y ENSAYOS, POEMAS ERÓTICOS, ANÉCDOTAS Y TRAGEDIAS CUASI GRIEGAS A DIVERSOS LITERATOS JUDÍOS..??

¿Puedo hacer una pregunta?

¿POR QUÉ SE APARECÍA SOLO A LOS JUDÍOS?

¡NIÑA PREGUNTONA! PUES PORQUE ERA EL DIOS DE LOS JUDÍOS Y SÓLO DE ELLOS, PORQUE HABÍA HECHO ALIANZA CON ELLOS PARA PROTEGERLOS EN CASO DE INVASIÓN EXTRANJERA O PERSECUCIÓN, ETC.

(ESPERO QUE NO PREGUNTE POR QUÉ LES HA IDO SIEMPRE TAN MAL A LOS JUDÍOS..)

(PERDÓN LA INTERRUPCIÓN)

ES EL CASO QUE NO SE SABE CUÁNDO, DÓNDE, NI A QUIÉNES SE LES APARECIÓ ESE DIOS O CÓMO LE HIZO PARA INSPIRAR LA "ESCRIBIDA" DE LA BIBLIA... LO QUE NO OBSTA PARA QUE LA IGLESIA LOS CONSIDERE COMO "AUTÉNTICOS INSPIRADOS POR DIOS" Y BAJO LA OBLIGACIÓN DE SER CREÍDOS LETRA POR LETRA..

por ello me niego a saber leer...

63

SE HA TAMBIÉN DEMOSTRADO QUE MUCHOS DE LOS LIBROS QUE FORMAN LA BIBLIA SON ÚNICAMENTE COPIAS DE OTROS LIBROS (EGIPCIOS, BABILÓNICOS, GRIEGOS, SUMERIOS), REESCRITOS EN HEBREO...

LIBROS QUE SON CONSIDERADOS COMO LEYENDAS MITOLÓGICAS...

SIN INSPIRACIÓN DIVINA

Y en cambio, esas mismas leyendas (EL DILUVIO, LA CREACIÓN, LA TORRE DE BABEL, LAS HISTORIAS DE JOSÉ, JOB, MOISÉS, DAVID, ETC.) al formar parte de la BIBLIA... ¡nos resultaron auténticamente divinos, fíjese nada más!

INGENUOS AUNQUE INTERESANTES RELATOS SOBRE LA CREACIÓN DEL MUNDO, EL PECADO ORIGINAL, EL DILUVIO, ETC., SE ENCUENTRAN EN CASI TODAS LAS RELIGIONES DE ORIENTE... Y ESTÁ VISTO QUE PENETRARON EN LA DOCTRINA HEBREA AL CONTACTO CON OTROS PUEBLOS, ESPECIALMENTE BAJO EL DOMINIO BABILÓNICO Y PERSA, A PARTIR DEL SIGLO VI ANTES DE CRISTO.

¿DÓNDE ESTÁ PUES LO "DIVINO" DE LA BIBLIA?

¿QUE POR QUÉ LOS JUDÍOS NO CREEN EN CRISTO?

¿PUEDO HACER YO TAMBIÉN UNA PREGUNTA?

INTERESANTE, DIRÍA UN JESUITA..

(PERO NO ES ESA LA PREGUNTA, SINO OTRA :)

LOS LIBROS DEL ANTIGUO TESTAMENTO SON 45..

¿POR QUÉ LOS JUDÍOS MISMOS SÓLO ACEPTAN 39?

PORQUE AFIRMAN QUE HAY SEIS LIBROS DENTRO DE LA BIBLIA CRISTIANA QUE NO SON DE INSPIRACIÓN DIVINA, MISMOS QUE ROMA DICE QUE SÍ LO SON... PORQUE LO DICE ROMA Y PUNTO. (¡VIVA LA DEMOCRACIA Y LA RAZÓN!)

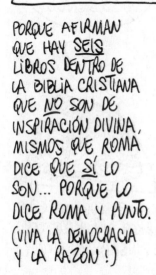

¿O SEA QUE NI LOS JUDÍOS CREEN EN LO QUE LES DICTÓ SU DIOS?

ASÍ ES: LE VOY A CONTAR CÓMO SE HIZO LA BIBLIA..

LA BIBLIA NO EXISTIÓ SINO HASTA EL SIGLO IV DESPUÉS DE CRISTO, CUANDO SAN JERÓNIMO REUNIÓ TODOS LOS MANUSCRITOS HEBREOS CONOCIDOS (UNOS 500, DICEN LAS CRÓNICAS) Y SEGURO QUE INSPIRADO POR EL ESPÍRITU SANTO, ELIGIÓ LOS LIBROS MÁS LEGIBLES, NACIENDO ASÍ LA **VULGATA**

(BIBLIA VULGATA)

QUE APROBÓ EL CONCILIO DE TRENTO TRAS 10 AÑOS DE DISCUSIONES

¿CUÁLES FUERON ESOS LIBROS APROBADOS COMO DE "INSPIRACIÓN DIVINA"?

ANTIGUO TESTAMENTO

NUEVO TESTAMENTO

LIBRO DEL GÉNESIS
LIBRO DEL ÉXODO
LEVÍTICO
LOS NÚMEROS
EL DEUTERONOMIO
LIBRO DE JOSUÉ
LIBRO DE LOS JUECES
LIBRO DE RUTH
LIBROS DE SAMUEL (2)
LOS REYES (2)
LAS CRÓNICAS (2)
ESDRAS
NEHEMÍAS
LIBRO DE TOBÍAS
LIBRO DE JUDITH
LIBRO DE ESTHER
MACABEOS (2)
LIBRO DE JOB
SALMOS DE DAVID
PROVERBIOS DE SALOMÓN
ECLESIASTÉS
EL CANTAR DE LOS CANTARES
LIBRO DE LA SABIDURÍA
ECLESIÁSTICO
LIBRO DE JEREMÍAS
LIBRO DE ISAÍAS
LIBRO DE EZEQUIEL
LIBRO DE DANIEL
LAMENTACIONES DE JEREMÍAS
LIBRO DE BARUC Y
12 LIBROS DE PROFETAS MENORES.
(escritos en hebreo)

4 EVANGELIOS { SAN MATEO / SAN LUCAS / SAN MARCOS / SAN JUAN

LOS HECHOS DE LOS APÓSTOLES

14 EPÍSTOLAS DE SAN PABLO {
A ROMANOS
A CORINTIOS
A GÁLATEOS
A EFESIOS
A FILIPENSES
A COLOSENSES
A TESALONICENSES
A TIMOTEO
A TITO
A FILEMÓN
A HEBREOS

EPÍSTOLA DE SANTIAGO
2 EPÍSTOLAS DE SAN PEDRO
EPÍSTOLA DE SAN JUDAS
3 EPÍSTOLAS DE SAN JUAN
Y
APOCALIPSIS (SAN JUAN)

TODOS ↑ ÉSTOS ESCRITOS EN GRIEGO, NO EN HEBREO...

(Y NO LOS ACEPTAN COMO "DIVINOS" LOS JUDÍOS...)

67

¿PUES QUÉ LENGUA HABLABA DIOS..?

POR LO VISTO SÓLO HEBREO Y GRIEGO..

↑
OTRA RAREZA INEXPLICABLE

OTRA INEXPLICABLE CURIOSIDAD DE LA BIBLIA ES LA FECHA DE LO ESCRITO BAJO DICTADO DIVINO: LA ARQUEOLOGÍA SÓLO CUENTA CON LOS ORIGINALES HEBREOS DEL AÑO 916 DESPUÉS DE CRISTO, AUNQUE LA LEYENDA ASEGURA (COMO LEYENDA..) QUE TRES SIGLOS ANTES DE CRISTO VARIOS TEXTOS HEBREOS FUERON TRADUCIDOS AL GRIEGO POR 70 TRADUCTORES EN ALEJANDRÍA, POR ÓRDENES DEL FARAÓN TOLOMEO II, DE LO CUAL NO EXISTE NI UNA TRISTE PRUEBA...

SI EL HOMBRE, TIENE UN MILLÓN DE AÑOS SOBRE LA TIERRA...¿POR QUÉ SE TARDÓ TANTO DIOS EN DICTAR SUS LEYES?

¡Y EL PRIMER ESCRITO (SOBRE HUESO) CONOCIDO TIENE 40 MIL AÑOS DE EXISTENCIA!

De lo que se colige que los dioses fueron muy descuidados en hacer llegar al hombre sus mandatos, al esperar tanto tiempo en darse a conocer...

MENOS MAL QUE PIENSEN ESO...

O usando la lógica, la historia y la arqueología, etnografía y sentido común, digamos que todo eso de la Biblia como "sagrada" es un cuento de las mil y una noches...

¿Y ESOS CUERNOS, MOISÉS..?

¡AY SEÑOR: CÓMO SE VE QUE NO ERES CASADO!

PUES RESULTA INFANTIL HACERNOS CREER QUE UN LIBRO TAN MAL ESCRITO, CON TANTOS ERRORES DE TIPO HISTÓRICO, CIENTÍFICO, FILOSÓFICO, TAN LLENO DE CONTRADICCIONES, FALSEDADES Y ABERRACIONES, SEA LA "PALABRA SAGRADA", EL LIBRO INSPIRADO POR UN DIOS SABIO Y TODOPODEROSO...

¡ES QUE FUE ESCRITO HACE MUCHO TIEMPO: LA GENTE NO ERA TAN SABIA!

LAS CIENCIAS ESTABAN EN PAÑALES..!

¿Y NO QUE DIOS LO SABE TODO?

69

RESEÑAR TODAS LAS FALSEDADES, ERRORES GARRAFALES, METIDAS DE PATA Y RIDICULECES DE LA BIBLIA NOS PUEDE LLEVAR TODO EL LIBRO (CASI SE ANTOJA HACER <u>OTRO</u> DEDICADO A ELLO), DE MODO QUE SÓLO VAMOS A MENCIONAR ALGUNAS TONTERÍAS DEL LIBRO "INSPIRADO" POR DIOS:

SI ES UN LIBRO INSPIRADO POR DIOS, DEBERÍA SER PERFECTO, ¿NO CREE?

DIOS -ASEGURAN LOS TEÓLOGOS- ES PERFECCIÓN. ¿CÓMO IBA ENTONCES UN SER PERFECTO SER EL AUTOR INTELECTUAL DE UN LIBRO TAN CONTRADICTORIO COMO LA SAGRADA BIBLIA??

PASEMOS A DEMOSTRARLO ANTES QUE NOS DIGAN HABLADORES:

GENESIS 1:31
"Y VIO DIOS TODO LO QUE HABÍA HECHO Y VIO QUE ERA BUENO EN GRAN MANERA..."

GENESIS 6:6
"Y ARREPINTIÓSE JEHOVÁ DE HABER HECHO AL HOMBRE EN LA TIERRA Y PESÓLE EN SU CORAZÓN..."

O sea, que al ser perfecto le salió un ser imperfecto..

GENESIS 32:30
"PORQUE VÍ A DIOS CARA A CARA Y FUE LIBRADA MI ALMA.."

EXODO 33:11
"Y HABLABA JEHOVÁ A MOISÉS CARA A CARA, COMO HABLA CUALQUIERA A SU COMPAÑERO..."

EXODO 33:20
"DIJO JEHOVÁ: NO PODRÁS VER MI ROSTRO PORQUE NO ME VERÁ HOMBRE Y VIVIRÁ.."

¿ POR FÍN? ¡ LE VIÓ JEHOVÁ LA CARA A MOISÉS O NO?

GENESIS 3:9,10
"Y LLAMÓ JEHOVÁ DIOS AL HOMBRE Y LE DIJO: ¿DÓNDE ESTÁS TÚ? Y ÉL RESPONDIÓ: OÍ TU VOZ EN EL HUERTO Y TUVE MIEDO PORQUE..."

JUAN 5:37
"Y EL QUE ME ENVIÓ, EL PADRE, HA DADO TESTIMONIO DE MÍ. NI NUNCA HABÉIS OÍDO SU VOZ, NI HABÉIS VISTO SU PARECER..."

¿ POR FÍN? ¿ALGUIEN OYÓ LA VOZ DE DON DIOS?

Y SI NADIE LO HA OÍDO, ¿CÓMO DICTÓ ENTONCES SUS MEMORIAS?

PERO SIGUE LA MATA DANDO:

AQUÍ CONSTA UNA FORMA MUY CURIOSA DE PARTE DE DIOS, PARA DEJARSE VER:

EXODO 33 22,23

" Y TE CUBRIRÉ CON MI MANO HASTA QUE HAYA PASADO DESPUÉS APARTARÉ MI MANO Y VERÁS MIS ESPALDAS, MAS NO MI ROSTRO "

" Y LÍNEAS MÁS ARRIBA DICEN QUE LE HABLABA JEHOVÁ CARA A CARA "

MATEO 19:26
"PARA DIOS NO HAY IMPOSIBLES..."

JUECES 1:19
"Y FUE JEHOVÁ CON JUDÁ Y ECHÓ A LOS DE LAS MONTAÑAS, MAS NO PUDO ECHAR A LOS QUE VIVÍAN EN EL LLANO PORQUE TENÍAN CARROS DE HIERRO..."

MATEO 7:8
"PEDID Y SE OS DARÁ; BUSCAD Y HALLARÉIS; LLAMAD Y SE OS ABRIRÁ"

PROVERBIOS 1:28
"ENTONCES ME LLAMARÁN Y NO RESPONDERÉ; BUSCARME HAN DE MAÑANA Y NO ME HALLARÁN..."

¿QUÉ CLASE DE DIOS ES EL QUE INSPIRÓ TANTAS CONTRADICCIONES?

¿ES DIOS DE PAZ Y AMOR, O DIOS DE GUERRA Y ODIO?

ROMANOS 15:33 "Y EL DIOS DE PAZ SEA CON VOSOTROS" ¡ESTÁ CLARO!

Y EN TIMOTEO 2:4 ESTÁ MÁS CLARO: "EL CUAL QUIERE QUE TODOS LOS HOMBRES SEAN SALVOS..."

SALMOS 18:41 "CLAMARON, Y NO HUBO QUIÉN LOS SALVASE; AÚN A JEHOVÁ Y NO LOS SALVÓ..."

ÉXODO 15:3 "JEHOVÁ, DIOS SEÑOR DE GUERRA, JEHOVÁ ES SU NOMBRE.."

JEREMÍAS 13:13,14 "ASÍ HA DICHO JEHOVÁ: LLENARÉ DE EMBRIAGUEZ A TODOS LOS MORADORES DE ESTA TIERRA..Y QUEBRANTARÉLOS EL UNO CON EL OTRO, LOS PADRES CON LOS HIJOS, DICE JEHOVÁ: NO PERDONARÉ, NI TENDRÉ PIEDAD NI MISERICORDIA PARA NO DESTRUIRLOS"

¡VAYA CON EL DIOS DE BONDAD! "BUENO ES JEHOVÁ PARA CON TODOS, CLEMENTE Y MISERICORDIOSO, LENTO PARA LA IRA Y GRANDE EN EL PERDÓN" (SALMOS 145:8,9)

SAMUEL 24:1,15 "Y VOLVIÓ EL FUROR DE JEHOVÁ A ENCENDERSE CONTRA ISRAEL Y ENVIÓ JEHOVÁ PESTILENCIA A ISRAEL DESDE LA MAÑANA HASTA EL TIEMPO SEÑALADO Y MURIERON DEL PUEBLO 70 MIL HOMBRES"

Bidellus generalis.

(VAYA GEMECITO..)

73

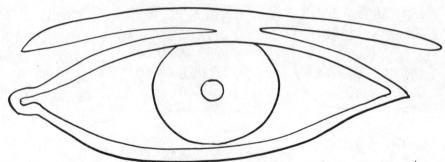

Y si queremos enterarnos de las propiedades visuales del dios bíblico, tendremos algunos problemas para hacerlo:

PROVERBIOS 15:3
"LOS OJOS DE JEHOVÁ ESTÁN EN TODO LUGAR"
JOB 34:21
"PORQUE SUS OJOS ESTÁN SOBRE TODOS LOS CAMINOS DEL HOMBRE Y VE TODOS SUS PASOS."

¿Y ENTONCES CÓMO ES QUE SE LE ESCONDIÓ ADÁN?

"Y ESCONDIÓSE EL HOMBRE Y SU MUJER DE LA PRESENCIA DE JEHOVÁ DIOS ENTRE LOS ÁRBOLES DEL HUERTO..."
GÉNESIS 3-8

ESTAS SON SOLO
UNAS CUANTAS DE
LOS MILES Y MILES
DE CONTRADICCIONES
QUE PÁGINA TRAS
PÁGINA CONTIENE
LA BIBLIA, CUYA
LECTURA POR CIERTO
NO RECOMIENDA LA
IGLESIA CATÓLICA...

¿Y QUÉ DECIR DEL "NUEVO TESTAMENTO"?

LA LECTURA* DE LA BIBLIA ES LA MEJOR FÁBRICA DE ATEOS..

* LECTURA CRÍTICA, CLARO..

LA IGLESIA CATÓLICA, ANTE LA AVALANCHA DE CRÍTICAS A LA BIBLIA HA RECONOCIDO CASI POR COMPLETO EL CARÁCTER "LEGENDARIO" DE SUS TEXTOS, PERO DE LOS QUE SÍ SE RESPONZABILIZA Y APOYA SU "AUTENTICIDAD" ES DEL

NUEVO TESTAMENTO

O SEA, LA HISTORIA DE CRISTO, "HIJO" DE DIOS

"LOS EVANGELIOS, CUYA AUTENTICIDAD, INTEGRIDAD Y VERACIDAD NADIE PUEDE PONER EN DUDA, PRUEBAN CON CERTEZA LA REVELACIÓN DIVINA..."

P. Hillaire
"LA RELIGION DEMOSTRADA"

El mismo libro, uno de los más usados y acreditados por la S.M. Iglesia, afirma en la pag. 152:

P:
"¿DEBEMOS CREER TODO LO QUE CONTIENEN LOS EVANGELIOS?"

R.
"SÍ, PORQUE SE DEBE CREER A UN LIBRO HISTÓRICO CUANDO ES AUTÉNTICO, ÍNTEGRO Y VERAZ.
NOSOTROS LOS CRISTIANOS CREEMOS QUE LOS EVANGELIOS SON LIBROS INSPIRADOS, ES DECIR QUE LOS APÓSTOLES Y SUS DISCÍPULOS LOS HAN ESCRITO SIGUIENDO EL IMPULSO DEL ESPÍRITU SANTO, QUE SE LOS DICTÓ."

¿Íntegro, auténtico y veraz el NUEVO TESTAMENTO?

"SÍ" (CONTESTA EL MISMO PADRE HILLAIRE :)

"UN LIBRO ES AUTÉNTICO CUANDO HA SIDO ESCRITO EN LA ÉPOCA Y POR EL AUTOR QUE LE ASIGNAN"

"UN LIBRO ES ÍNTEGRO CUANDO HA LLEGADO HASTA NOSOTROS SIN ALTERACIÓN, TAL COMO FUE ESCRITO POR SU AUTOR"

"UN LIBRO ES VERÍDICO CUANDO EL AUTOR NO PUEDE SER SOSPECHOSO DE ERROR O MENTIRA"

SIN EMBARGO, EL ESTUDIO DE LOS EVANGELIOS A TRAVÉS DE LOS SIGLOS HA DEMOSTRADO -CON BASES CIENTÍFICAS- QUE DISTAN MUCHO DE SER AUTÉNTICOS, ÍNTEGROS Y VERÍDICOS

EN LOS PRIMEROS AÑOS DEL CRISTIANISMO SE AFIRMABA QUE LOS EVANGELIOS HABÍAN SIDO ESCRITOS POR ÁNGELES..

PERO RESULTABA UN TANTO DIFÍCIL DE EXPLICAR QUIÉNES ERAN LOS ÁNGELES, DE MODO Y MANERA QUE SE OPTÓ POR DECIR QUE LOS 4 EVANGELIOS ERAN OBRA DE LOS MISMOS DISCÍPULOS DE JESÚS: MATEO, MARCOS, LUCAS Y JUAN...

SÓLO QUE FALTABA UN DETALLITO SIN IMPORTANCIA: LOS APÓSTOLES NO SABÍAN LEER NI ESCRIBIR...

EN ESOS TIEMPOS EL ANALFABETISMO ERA CASI GENERAL: SÓLO UNA MINORÍA SABÍA LEER... Y ENTRE ESA MINORÍA NO ESTABAN LOS APÓSTOLES, QUE ERAN PESCADORES SIN ESCUELA ALGUNA...

¿...Y JESÚS SÍ SABÍA LEER Y ESO?

78

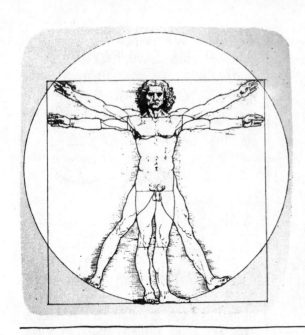

EJEM...

AUNQUE NO SE HA DEMOSTRADO LA EXISTENCIA DE JESUCRISTO, VAMOS A SUPONER QUE SÍ EXISTIÓ Y TODO LO DEMÁS..

(INCLUSIVE QUE SABÍA LEER Y ESCRIBIR.)

PERO NO EXISTE NI UNA LÍNEA ESCRITA POR ÉL, ES DECIR, NO DEJÓ NADA ESCRITO EL "HIJO DE DIOS" QUE VINO AL MUNDO A DAR A CONOCER EL NUEVO TRATO CON SU PADRE..

absurdo, diría un dudante..

¡SIMPLEMENTE NO LO ENTIENDO!

SI DIOS QUERÍA ESTABLECER UN NUEVO PACTO CON EL HOMBRE Y HABÍA INSPIRADO DURANTE SIGLOS A ESCRITORES, POETAS Y PROFETAS PARA ESCRIBIR SUS DESEOS, ¿POR QUÉ DE REPENTE DECIDE MANDAR A SU HIJO, Y NO CUIDA DE QUE SU PALABRA QUEDE ESCRITA Y DADA A CONOCER MEJOR?

79

¡NO TIENE NI PIES NI CABEZA LA VENIDA DE JESÚS!

NO TIENE LÓGICA ALGUNA QUE UN DIOS SABIO, TODOPODEROSO Y CREADOR DE TODO, PARA HACERSE OIR POR EL HOMBRE AL QUE CREÓ, MANDE A LA TIERRA A SU HIJO (ÚNICO)...

JESÚS!

..LO ESCONDA EN UNA RANCHERÍA, LO HAGA SER ESCUCHADO POR UNOS CUANTOS (QUE LO TOMAN POR LOCO), QUE NO DEJE NINGÚN ESCRITO Y QUE FINALMENTE LO HAGA ASESINAR POR OTROS HOMBRES POR ÉL CREADOS...

ES QUE LOS QUERÍAMOS PONER A PRUEBA A VER QUÉ TAL ERAN..

¿ACASO EL DIOS SAPIENTÍSIMO NO SABÍA CÓMO ERAN DE MALDITOS Y DESGRACIADOS SUS "REYES" DE LA CREACIÓN..?

¿ NO ESTABA ENTERADO EL DIOS TODOPODEROSO DE LA CLASE DE GENTE QUE VIVÍA EN LA TIERRA?

¿ NO HUBIERA SIDO MÁS LÓGICO (SUPONIENDO UN DIOS LÓGICO) DAR A CONOCER SUS DESEOS Y NUEVA LEY EN LOS CENTROS DE PODER COMO ERAN ROMA Y GRECIA, EGIPTO, CHINA O LA INDIA?

¡NADIE CONOCE LOS DESIGNIOS DE DIOS!

DICE LA IGLESIA..

Fierabras.

¿NADIE CONOCE LOS DESIGNIOS DE DIOS..?

CURIOSÍSIMO: SI NADIE PUEDE SABER QUÉ PIENSA DIOS, ¿ POR QUÉ ENTONCES SE ATREVEN A DECIR Y ASEGURAR QUE DIOS HIZO CONCEBIR A UN SU HIJO DE UNA VIRGEN, QUE LO MANDÓ A PREDICAR SUS DESEOS, Y QUE DEJÓ QUE LO MATARAN PARA SALVARNOS A TODOS Y ETC.?

¿ Y DE QUÉ NOS SALVÓ, SI SE PUEDE SABER..?

ITEM MÁS:

SI LA INTENCIÓN DE DIOS -SEGÚN AFIRMAN- ERA CREAR UNA NUEVA RELIGIÓN PARA LA HUMANIDAD, ¿CÓMO ES QUE LA MAYORÍA DE LA HUMANIDAD NO CREE EN ESA RELIGIÓN..?

¿Y CÓMO ES QUE NADIE PRACTICA EL CRISTIANISMO?

(EMPEZANDO POR LOS QUE SE DICEN REPRESENTANTES DE CRISTO...)

¿VES? TE DIJE QUE NO TE METIERAS CON SANSÓN A LAS PATADAS..!

DEFINITIVAMENTE, TODO ESTO DEL HIJO DE DIOS HECHO HOMBRE Y SALVADOR, NO ES MÁS QUE UNA MITOLÓGICA LEYENDA NO APTA PARA SERES PENSANTES.. ¿O NO?

¡MOMENTO! APENAS ÍBAMOS EN LOS EVANGELIOS Y USTED YA ESTÁ CONCLUYENDO COSAS!

SIGAMOS PUES CON LOS EVANGELIOS: EL MÁS ANTIGUO QUE SE CONOCE, EL LLAMADO DE **SAN MARCOS**, FUE ESCRITO UNOS 80 AÑOS D.C. CON BASE —DICEN— EN PLÁTICAS QUE ESE SEÑOR (QUE NO CONOCIÓ A JESÚS) TUVO CON SAN PEDRO... QUE OBVIAMENTE ESTABA INTERESADO EN APARECER COMO EL "AUTÉNTICO" SUCESOR DE JESUCRISTO...

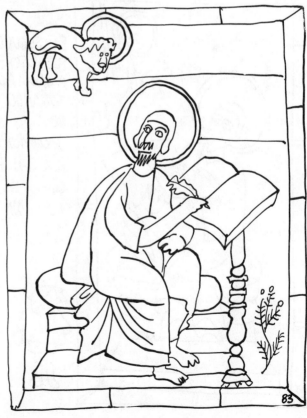

83

ESE JUAN MARCOS NO ERA OTRO -SEGÚN DICE LA IGLESIA- QUE EL SECRETARIO DE SAN PEDRO. SIN EMBARGO, TANTO MARCOS COMO PEDRO, MURIERON ANTES DE TERMINARLO, ASÍ QUE UN ROMANO -ARISTIÓN- LO COMPLETÓ DE OÍDAS Y COMO PUDO...

Pero inspirado por DIOS...¡esto que quede claro!

COMO DIGA, EXCELENCIA...

EL SEGUNDO EVANGELIO FUE ESCRITO POR MATEO A MEDIADOS DEL SIGLO II TOMANDO 600 VERSÍCULOS DE SAN MARCOS Y AÑADIENDO 330 PROPIOS O DICTADOS POR SAN PABLO DE TARSO, DE QUIEN SE DUDA HAYA SIDO MÁS QUE UNA LEYENDA.

para decirlo más claro: ni uno ni otro conocieron a Cristo...

84

DEL TERCER EVANGELIO
(LLAMADO DE SAN LUCAS)
SE DICE QUE TAMBIÉN
FUE ESCRITO CON BASE
EN PLÁTICAS DE SAN
PABLO CON EL AUTOR...

nacido en
Antioquía,
dicen...

SIN EMBARGO, DE SUS 1149 VERSÍCULOS, 350 FUERON TOMADOS DE
MARCOS, 235 DE MATEO Y 548 SON DE SU COSECHA PROPIA..

Y EL CUARTO,
ATRIBUIDO A
SAN JUAN..

ESCRITO -DICE LA IGLESIA- EN LOS
INICIOS DEL SIGLO II- (¿PUES
CUÁNTOS AÑOS VIVIÓ SAN JUAN
SI ERA UN HOMBRE MADURO EN
VIDA DE CRISTO?) EN GRIEGO
(SIENDO ESTE JUAN, JUDÍO..)
Y SIN COINCIDENCIAS CON LOS
ANTERIORES EVANGELIOS, FUE
CALIFICADO DE "APÓCRIFO" EN
LOS PRIMEROS SIGLOS DE LA
IGLESIA (ES DECIR, FALSO)...

FUE LO MALO DE NO TENER JEFE DE PRENSA..

👉 DE NINGUNO DE ESTOS 4 EVANGELIOS EXISTE MANUSCRITO ALGUNO, DE MODO QUE LAS VERSIONES HOY CONOCIDAS DE ELLOS, DATAN DE LAS VERSIONES QUE SE "APROBARON" EN EL FAMOSO CONCILIO DE TRENTO...¡EN 1563!, CUANDO SAN JERÓNIMO DEPURÓ LOS CIENTOS DE EVANGELIOS EXISTENTES Y "UNIFICÓ" LAS VERSIONES...

en vista de que dios no se volvió a comunicar con nadie..

¿PUEDEN ASÍ CONSIDERARSE COMO AUTÉNTICOS VERÍDICOS Y ORIGINALES LOS EVANGELIOS..? NI DE BROMA...

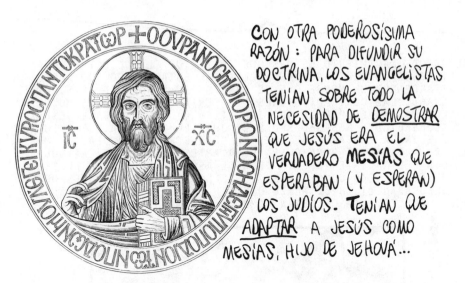

CON OTRA PODEROSÍSIMA RAZÓN: PARA DIFUNDIR SU DOCTRINA, LOS EVANGELISTAS TENÍAN SOBRE TODO LA NECESIDAD DE DEMOSTRAR QUE JESÚS ERA EL VERDADERO MESÍAS QUE ESPERABAN (Y ESPERAN) LOS JUDÍOS. TENÍAN QUE ADAPTAR A JESÚS COMO MESÍAS, HIJO DE JEHOVÁ...

PARA ELLO INVENTARON LA RESURRECCIÓN DE CRISTO Y SE OCUPARON DE RECONSTRUIR AL REVÉS LA BIOGRAFÍA DEL "HIJO DE DIOS" REMONTANDO DE LA RESURRECCIÓN AL NACIMIENTO Y LLENANDO EL HUECO CON REFERENCIAS Y ANÉCDOTAS QUE SE AJUSTARAN LO MÁS POSIBLE A LAS "PROFECÍAS" BÍBLICAS QUE ANUNCIABAN LA VENIDA DEL MESÍAS...

UNA PRUEBA DE ELLO ES LO RELATIVO AL NACIMIENTO DE JESÚS...

¿DÓNDE Y CUÁNDO NACIÓ?

EL AÑO DE NACIMIENTO ES MAS QUE INCIERTO: EL QUE HOY ACEPTAN
Y SIRVE DE COMIENZO A NUESTRA ERA FUE ESTABLECIDO 500 AÑOS
MAS TARDE POR UN MONJE QUE SE BASO EN EL EVANGELIO DE S.LUCAS
IGNORANDO LAS CONTRADICCIONES QUE SERIAN DESCUBIERTAS MUCHOS
SIGLOS MAS TARDE POR LA CRITICA. (sigue) SEGUN LUCAS, JESUS
FUE CONCEBIDO 6 MESES DESPUES DE JUAN EL BAUTISTA,QUE A SU VEZ
LO FUE EN LA EPOCA DE HERODES EL GRANDE,REY DE JUDEA,QUE MU-
RIO EL AÑO 750 DE ROMA,O SEA EL 4 ANTES DE NUESTRA ERA.SOBRE
EL DIA DEL NACIMIENTO ESTA PEOR EL ASUNTO: APENAS EN EL SIGLO
IV SE ESTABLECIO COMO TAL EL 25 DE DICIEMBRE,PERO ANTES DECIAN
Y CELEBRABAN el 28 DE MARZO O EL 19 DE ABRIL,O EL 6 DE ENERO,
FECHA QUE TODAVIA CELEBRAN COMO EL NACIMIENTO EN ORIENTE...

DE MODO QUE,SI YA HABIA MUERTO HERODES
ANTES QUE NACIERA JESÚS...¿DE DÓNDE SALIÓ
LO DE LA PERSECUCIÓN A CRISTO Y LA DIZQUE
MATANZA DE NIÑOS INOCENTES? ¡AY DIOS..!

¿Y DÓNDE NACÍ POR FIN?

¿BELEM O NAZARETH?

UNA PROFECÍA BÍBLICA DECÍA, REFIRIÉNDOSE AL MESÍAS: "Y EL SERÁ LLAMADO NAZARENO", MIENTRAS OTRA (MATEO 2:5) DECÍA "SI NACE EN BELEM ES PORQUE ESTO TAMBIÉN ESTÁ ESCRITO POR EL PROFETA"...

QUE UNOS EVANGELIOS LO HACEN NACER EN BELEM Y OTROS EN NAZARETH...

¿RESULTADO?

(Y A LA MEJOR NACIÓ EN TEL-AVIV...)

RESUMIENDO, LA REALIDAD ES QUE, BASÁNDOSE EN EL ANTIGUO TESTAMENTO Y SUS "PROFECÍAS", ALGUNOS JUDÍOS EXILADOS EN ROMA ESCRIBIERON EL NUEVO TESTAMENTO PARA PRESENTAR A JESÚS COMO EL MESÍAS, FUNDADOR DE LA NUEVA RELIGIÓN A SEGUIR:

EL CRISTIANISMO...

MÁS OTRO, ATRIBUÍDO A SAN JUAN, EL "APOCALIPSIS", ES DECIR LA PRETENDIDA "REVELACIÓN" DE LOS GRANDIOSOS ACONTECIMIENTOS QUE LOS PRIMEROS CRISTIANOS ESPERABAN DE UN MOMENTO A OTRO, CONSISTENTES EN EL FIN DEL MUNDO NI MÁS NI MENOS..

FIN DEL MUNDO QUE NO LLEGÓ (¿OTRA EQUIVOCADA DE DIOS?) NI TIENE PARA CUANDO LLEGAR...

ASÍ, EL "APOCALIPSIS" SE CONVIRTIÓ EN OTRA PRUEBA DE LA FALSEDAD DEL NUEVO TESTAMENTO.

ESTOS Y MIL
DETALLES MÁS
COMO ESTOS,
PARECEN DEMOSTRAR
SIN LUGAR A
DUDAS, QUE LOS
EVANGELIOS FUERON
ESCRITOS PARA
ADECUAR LA FIGURA
DE CRISTO A LAS
NECESIDADES
POLÍTICAS DE LOS
JUDEOCRISTIANOS
QUE TRATABAN
DE HACER APARECER
A JESÚS COMO "EL
MESÍAS"... Y NO
COMO EN REALIDAD
PARECE HABER
SIDO:

¡YA SE NOS CAYÓ EL TEATRITO!

¡UN ALZADO CONTRA LOS ROMANOS!

ABAJO EL IMPER... SMO

EL DESCUBRIMIENTO DE LOS ROLLOS DEL MAR
MUERTO HA SACADO A LA LUZ LA EXISTENCIA
DE UNA SECTA JUDÍA —LOS ESENIOS— QUE SE
ALZARON CONTRA ROMA Y CUYO JEFE (CUYAS
PALABRAS TIENEN GRAN SEMEJANZA CON LAS
PRÉDICAS DE CRISTO) FUE MARTIRIZADO Y
CRUCIFICADO POR LOS AÑOS 20 D.C...

(LOS ROMANOS CRUCIFICABAN SÓLO A LOS REOS DE SUBVERSIÓN)

VAMOS A UN COMERCIAL Y REGRESAMOS..

REMITIMOS A LOS INTERESADOS EN LA FIGURA DE JESUCRISTO AL LIBRO DEL MISMO AUTOR DE ESTE, "CRISTO DE CARNE Y HUESO" EDITORIAL POSADA MEXICO DF. QUE CUENTA YA CON VARIAS EXCOMUNIONES ECLESIÁSTICAS. TRADUCIDO AL ITALIANO Y PROHIBIDO EN ESPAÑA HASTA LA FECHA.

GRACIAS

LA VERDAD OS HARÁ LIBRES (Y ATEOS)

EL ESTUDIO EN SERIO DE LA BIBLIA, ES QUIZÁS LA DEMOSTRACIÓN MAYOR DE LA NO EXISTENCIA DE DIOS Y LA PRUEBA MÁXIMA DE LA FALSEDAD DEL CRISTIANISMO COMO RELIGIÓN "ÚNICA Y VERDADERA". VIL INVENTO HUMANO PARA EXPLOTAR Y ENAJENAR A LOS CREYENTES EN SUS VACILADAS

rollo num.

CREYENDO QUE SE CREE

EL AUTOR –SIN INSPIRACIÓN DIVINA, QUE SEPAMOS– SE METIÓ EN TODA UNA SERIE DE PROBLEMAS CON SUS FAMILIARES, AMIGOS Y CREYENTES ANÓNIMOS, PREGUNTÁNDOLES SUS RAZONES PARA CREER EN DIOS..

POR QUE CREEN EN DIOS **?**

¡ HOMBRE: QUÉ PREGUNTA !

LA MAYORÍA CONTESTÓ QUE NO SABÍA POR QUÉ CREÍA EN LA EXISTENCIA DE DIOS; OTROS DIJERON QUE ASÍ SE LOS HABÍAN ENSEÑADO DESDE NIÑOS; UNO CONTESTÓ QUE SI DIOS NO EXISTIERA, TAMPOCO EXISTIRÍAMOS NOSOTROS Y OTRO (OTRA) DIJO QUE PORQUE DIOS ERA AMOR Y SABIDURÍA Y QUE TODO NOS VENÍA DE ÉL... PERO NO EXPLICÓ POR QUÉ CREÍA QUE DIOS EXISTÍA...

Y OTRO:

¡ QUÉ PREGUNTA ! CREO QUE DIOS EXISTE PORQUE TENGO FE !

94

¿QUÉ ES LA **FE?**

"...teologal por la que creemos lo que Dios dice..." (DICCIONARIO)

LA FE ES LA <u>CONFIANZA</u> EN LO DICHO O HECHO POR OTROS..

Y LA FE, DICE LA IGLESIA, ES UN DON DE DIOS...

O SEA (AGÁRRENSE) PARA CREER EN DIOS ES NECESARIO QUE ESE DIOS LE HAYA DADO A QUIEN ESTÁ QUERIENDO SABER SI EXISTE O NO, LA VIRTUD DE CREER QUE SÍ EXISTE, ASÍ NOMÁS, A CIEGAS, SIN PRUEBAS DE NINGUNA CLASE... (¡QUÉ GALIMATÍAS!)

TRADUCIDO: LA FE ES LA IGNORANCIA DE LA REALIDAD

VIRTUD DADA POR DIOS PARA NO HACER USO DE LA RAZÓN.. QUE ÉL NOS DIÓ... (UN PESO A QUIEN LO ENTIENDA).

95

FINALMENTE, EL AUTOR -UN TANTO DECEPCIONADO POR LOS RESULTADOS CON LOS CREYENTES Y SU DIVINA IGNORANCIA- SE ASOMÓ A LOS MEDIOS RELIGIOSOS (CURAS, MONJAS Y CATECISMOS)...

"el hombre tiene implícita la idea de Dios. Nace con ella."

¡ La mejor prueba de la existencia de Dios es la Creación !

EL MUNDO (ME DIJERON) NO SE PUDO CREAR SOLO: ALGUIEN TUVO QUE CREARLO Y ESE ALGUIEN SOLO PUDO SER DIOS, EL SER PERFECTO Y TODOPODEROSO.

LO QUE PASA ES QUE DIOS NO TE HA DADO LA FE...

un catecismo

I. PRUEBAS DE LA EXISTENCIA DE DIOS

P.- ¿Cuáles son las pruebas principales de la existencia de Dios?

R.- Bajemos citar siete, que nuestra razón nos dicta, y que se fundan:

(pase a la siguiente página) ⋙→

1 En la existencia del Universo;

2 En el movimiento, orden y vida de los seres creados;

3 En la existencia del hombre, dotado de inteligencia y libertad;

4 En la existencia de la ley moral;

5 En el consentimiento universal del género humano; (?)

6 En los hechos ciertos de la Historia y

7 En la <u>necesidad</u> de un ser eterno.(?)

COMO VEN, TODAS ESTAS 7 "PRUEBAS" TIENEN UN FUNDAMENTO COMÚN: QUE

{ NO HAY EFECTO SIN CAUSA

LO QUE CONSTITUYE (SEGÚN EL CATECISMO) "UNA DEMOSTRACIÓN IRREBATIBLE CAPAZ DE CONVENCER AL INCRÉDULO MÁS OBSTINADO"

EL PADRE DE ESTA TEORÍA DEL **CAUSALISMO** FUE SANTO TOMÁS DE AQUINO QUIEN DIJO:

DIOS ASIRIO

"NO PODEMOS TENER CONOCIMIENTO DIRECTO DE DIOS A TRAVÉS DE LOS SENTIDOS, SINO A TRAVÉS DE SUS EFECTOS"

EN EFECTO: TODO TIENE UN PRINCIPIO, TODO SURGE A CAUSA DE... Y POR ELLO MISMO LA TEORÍA AQUINISTA SE DESTRUYE A SÍ MISMA:

SI DIOS CREÓ TODO...

¿QUIÉN CREÓ A DIOS?

DE LA RELACIÓN CAUSA-EFECTO -DECÍA TOMÁS- SE LLEGA A LA IDEA DE UNA **CAUSA** ÚLTIMA: TODAS LAS COSAS DEPENDEN DE ALGO PARA 98 EXISTIR ¿O NO?

LA TEORIA DE POSTULAR UNA PRIMERA CAUSA DE TODO QUE VIENE A SER UNA CAUSA SIN CAUSA, SE MUERDE LA COLA Y SE ANULA A SÍ MISMA... ¿QUIÉNES FUERON LOS PADRES DE DIOS?

suena como aquel viejo mito hindú de que el mundo estaba apoyado sobre un elefante y este sobre una tortuga...

¿Y LA TORTUGA SOBRE QUÉ?

PARA ACALLAR LOS ARGUMENTOS, LA IGLESIA DECIDIÓ ENTONCES OTORGARLE A DIOS LA ETERNIDAD DIOS NO TIENE PRINCIPIO NI FIN. Y AL QUE NO LO CREA LE QUEMAMOS LA CABEZA CON TODA Y CUERPO...

NO PUDIENDO LA SANTA IGLESIA PRESENTAR A LA MADRE DE DIOS, TOMÁS DE AQUINO ELABORÓ OTRA TEORÍA FILOSÓFICA:

"de la armonía y belleza del mundo se concluye que hubo un artífice del mundo" (TEORÍA DE LA "LEY NATURAL".)

¡EL ORDEN Y LA ARMONÍA DEL MUNDO SUPONEN UNA INTELIGENCIA ORDENADORA Y PODEROSA: SOLO DIOS PUDO HACER ESE ORDEN!

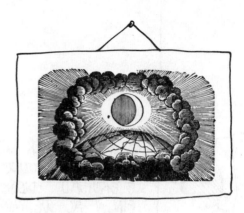

..¿ Y LOS TERREMOTOS Y VOLCANES?
¿ Y LOS TORNADOS Y CICLONES?
¿ Y LAS SEQUÍAS Y PLAGAS?
¿ Y LAS INUNDACIONES, RAYOS Y
CENTELLAS, EPIDEMIAS Y TROMBAS?

¡CHIN: OTRO ARGUMENTO QUE SE VIENE ABAJO!

SI SU EXCELENCIA QUIERE, VOY A PENSAR OTRO

¡YA VAS, TOMÁS!

PERO TOMAS DE AQUINO YA NO PUDO INVENTAR OTRA TEORIA PORQUE MURIÓ ANTES DE PODER HACERLO. SIN EMBARGO, POR SIGLOS LA IGLESIA TUVO CON ESAS TEORIAS PARA DEFENDER A DIOS.

PORQUE —JUSTO ES DECIRLO— QUIEN NO TRAGABA ESAS TEORÍAS Y SE ATREVÍA A PONERLAS EN DUDA, ERA PUESTO EN MANOS DE LOS TEÓLOGOS DE LA **SANTA INQUISICIÓN**, EXPERTOS EN COMUNICACIÓN Y CAPACES DE CONVENCER AL ATEO MÁS REACIO Y CONTUMAZ...

¡POR SUPUESTO QUE CREO EN DIOS Y EN SANTA CLOS!

¿PARA QUÉ MÁS TEORÍAS HABIENDO SANTO OFICIO?

LA IGLESIA PREDICABA ADEMÁS QUE DIOS HABÍA CREADO AL MUNDO TAL Y COMO LO CONOCEMOS. ETERNO E INMOVIBLE, CON LOS ANIMALES Y PLANTAS QUE TENEMOS, CON EL HOMBRE TAL Y COMO ES...

Negando toda posibilidad de cambios y evoluciones..

Y CUANDO EL SEÑOR DARWIN DEMOSTRÓ CON PELOS Y SEÑALES LA EVOLUCIÓN DE TODOS LOS SERES VIVOS, EL TEATRO DIVINO SE VINO ABAJO...

EL ORIGEN DE LAS ESPECIES
CH. DARWIN

Y TODAS LAS VIEJAS HISTORIAS DE ADAN Y EVA, EL DILUVIO DE NOE Y LA CREACIÓN DEL MUNDO EN SEIS DÍAS, PASARON AL ARCHIVO DE CUENTOS PARA NIÑOS Y LITERATURA FANTÁSTICO-RELIGIOSA...

¡DIOS HIZO EL MUNDO EN 6 DÍAS!

CON RAZÓN LE QUEDÓ ASÍ...

SIN EMBARGO, AUNQUE LA CREENCIA EN DIOS BAJÓ CONSIDERABLEMENTE DESDE ENTONCES, LA IGLESIA NO SE ARREDRÓ NI CLAUSURÓ SUS OFICINAS. POR EL CONTRARIO, CONDENÓ A DARWIN Y CON ÉL A LA CIENCIA "ENEMIGA DE LA FE" Y SIGUIÓ EXPLOTANDO LA IDEA DIVINA.

STULTORUM NUMERUM EST INFINITUM AND THE SHOW MUST GO ON: SURSUM CORDA, AMÉN.

¿QUÉ OTRAS "PRUEBAS" DE LA EXISTENCIA DE DIOS PREDICA LA IGLESIA?

Retomemos otra vez al sapientísimo Padre Hillaire y su libro "LA RELIGIÓN DEMOSTRADA". Suplicamos no reírse demasiado..

P./ ¿Podemos deducir la existencia de Dios por la contempla-ción de los seres vivientes ?
R./ SI.LA RAZON,LA CIENCIA Y LA EXPERIENCIA NOS OBLIGAN A ADMITIR UN CREADOR DE TODOS LOS SERES VIVIENTES DISEMI-NADOS SOBRE LA TIERRA. Y COMO ESE CREADOR NO PUEDE SER SINO DIOS,SIGUESE QUE DE LA EXISTENCIA DE LOS SERES VI-VIENTES PODEMOS CONCLUIR LA EXISTENCIA DE DIOS. (VAYA PUES..)

****

P./ ¿Prueban la existencia de Dios los seres del Universo ?
R./ SI:CUANTOS SERES EXISTEN EN EL UNIVERSO SON OTRAS TANTAS PRUEBAS DE LA EXISTENCIA DE DIOS,PORQUE TODOS ELLOS SON EL EFECTO DE UNA CAUSA QUE LES HA DADO EL SER,DE UN DIOS QUE LOS HA CREADO A TODOS. (INCLUYENDO A HITLER.NIXON Y SOMOZA)

****

P./ ¿Podemos demostrar la existencia de Dios por la existencia del hombre ?
R./ SI,POR LA EXISTENCIA DEL HOMBRE,INTELIGENTE Y LIBRE,LLE-GAMOS A DEDUCIR LA EXISTENCIA DE DIOS,PUES NO HAY EFECTO SIN CAUSA CAPAZ DE PRODUCIRLO.PODEMOS DECIR POR CONSIGUIEN-TE: YO PIENSO,LUEGO EXISTO,LUEGO EXISTE DIOS. (sic)

****

P./ ¿Prueba la existencia de Dios el hecho de la ley moral ?
R./ SI,LA EXISTENCIA DE LA LEY MORAL PRUEBA IRREFUTABLEMENTE QUE DIOS EXISTE. COMO NO HAY EFECTO SIN CAUSA,NI LEY SIN LEGISLADOR,ESA LEY MORAL TIENE UN AUTOR,EL CUAL ES DIOS.

****

P./ ¿Prueba el sentimiento íntimo la existencia de Dios ?
R./ SI: POR NATURAL INSTINTO SE NOS ESCAPA ESTE GRITO: "¡Dios mío!". EL POBRE LO LLAMA,EL MORIBUNDO LO INVOCA,EL PECADOR LE TEME,EL BLASFEMO LO MALDICE: EL MAS POPULAR DE TODOS LOS SERES ES DIOS. **NADIE BLASFEMA DE LO QUE NO EXISTE.**

****

Siguen otras "pruebas" con los mismos razonamientos "lógicos" de la Iglesia: Dios existe porque existe la necesidad de un ser necesario... Dios existe por la necesidad de que haya un ser eterno...Dios existeporquesehamostradohabladoyobrado....

¿ DIOS SE HA MOSTRADO A ALGUIEN O LE HA HABLADO A ALGUIEN ?

105

¡CLARO! SE LE APARECIÓ A DON ADÁN Y A EVA, A MOISÉS, A LOS PROFETAS, A LOS REYES Y A QUIÉN SABE CUÁNTOS MÁS... TAL Y COMO LO DICE LA BIBLIA..

EJEM.. ¿ Y aparte de la Biblia no hay alguna otra PRUEBA?

¡ NO SEÑOR, PERO CON LA BIBLIA ES MÁS QUE SUFICIENTE !!

HOMBRE : TAN SENCILLO QUE SERÍA PARA DIOS MOSTRARSE UNA VEZ EN PÚBLICO PARA DEMOSTRARNOS SU EXISTENCIA... (O EN TELEVISIÓN YA DE PERDIDA..)

A RESULTAS DEL DARWINISMO, SE DECLARÓ MUERTO A DIOS.. PERO LA IGLESIA NO SE DIO POR ENTERADA Y TRATÓ DE ADAPTARSE -UNA VEZ MÁS- A LOS TIEMPOS...

¿ NO HAY PENSADORES DE DERECHA?

LA DERECHA NO PIENSA, MONSEÑOR..

PERO AHÍ ANDABA KANT...

IMMANUEL KANT (1724-1804) FILÓSOFO ALEMÁN DIJO UN BUEN DÍA QUE...

Hay bondad y belleza en el mundo porque hay una <u>medida suprema</u> de bondad y belleza que es Dios..

" LA EXISTENCIA DE VALORES MORALES, DE LA CONCIENCIA Y DEL DEBER IMPLICAN QUE DEBE HABER UN VALOR MORAL SUPREMO, UNA CONCIENCIA SUPREMA." A ESE VALOR SUPREMO -PENSÓ KANT- HAY QUE LLAMARLO DIOS...

¿UN DIOS TODO BONDAD, TODO BELLEZA, TODO PODER Y TODO SABER?

EL ARGUMENTO "MORAL" DE KANT DURÓ MENOS QUE UN SUSPIRO DE MONJA, CUANDO OTROS PENSANTES SE PREGUNTARON:

¿Y LA MALDAD, LA INJUSTICIA, EL ODIO Y LA MENTIRA QUE HAY EN EL MUNDO..?

SIGNIFICARÍAN QUE DIOS ES TODO MALDAD, TODO ODIO Y TODO MENTIRA..

IMPOSIBLE ACEPTAR ESA TEORÍA: TIENE MUCHOS PUNTOS PELIGROSOS

109

SIN EMBARGO, LA IGLESIA ACEPTÓ LA TEORÍA DE KANT, URGIDA DE LO QUE FUERA A FAVOR SUYO (Y DE DIOS) Y EN TORNO A ELLA LOS TEÓLOGOS CONSTRUYERON TODO UN CASTILLO DE HIPÓTESIS RELIGIOSAS CONVERTIDAS EN DOGMAS, EN MATERIA DE FE:

1 EL MAL NO EXISTE: LO QUE HAY ES UNA "ARMONÍA NO COMPRENDIDA"..

2 DIOS MANDA A VECES LA DESGRACIA PARA PROBARNOS...

3 DIOS LE DIO LIBRE ALBEDRÍO AL HOMBRE PARA QUE VIVA EN LIBERTAD

4 LA POBREZA ES UN BIEN PARA EL ALMA

HIPÓTESIS TODAS DESCONCERTANTES Y CONTRADICTORIAS SIN BASE LÓGICA NI FILOSÓFICA, PERO VÁLIDAS PARA <u>SOSTENER</u> LA DIZQUE "FE"

Por ejemplo: ¿CÓMO DEMOSTRAR LA EXISTENCIA DE UN DIOS TODO BONDAD, QUE ACTÚA COMO DEFENSOR DE LA JUSTICIA, EL DERECHO Y LA EQUIDAD..?

GULP... ¿HAY JUSTICIA, EQUIDAD Y BONDAD EN EL MUNDO?

G

IMPOSIBLE ACEPTAR LA EXISTENCIA DE UN DIOS TODOPODEROSO, OMNISAPIENTE Y BONDADOSO, QUE PERMITE EN SU CREACIÓN EL TRIUNFO DEL MAL, LA INJUSTICIA Y LA INIQUIDAD...

hágase tu voluntad así en la tierra como en el cielo...

¡PUES, QUÉ DIOS TAN GACHO!

SI AUN LE QUEDAN DUDAS, CONTÉSTESE ESTAS PREGUNTITAS:

Si Dios es tan bueno como lo proclaman los curas. ¿ QUÉ RAZONES EXISTEN PARA TEMERLE ?

Si Dios quiere que se le conozca y se le ame, ¿POR QUE NO SE DA A CONOCER..?

Si es justo, ¿POR QUÉ **CASTIGA** A LOS HOMBRES CREADOS POR ÉL MISMO LLENOS DE DEBILIDAD..?

Si sabe todo, ¿PARA QUÉ ENTONCES FASTIDIARLO CON TANTAS ORACIONES ?

Si se encuentra en todas partes, ¿PARA QUÉ DIABLOS EDIFICAR IGLESIAS ?

113

Si los hombres no hacen el bien más que por una gracia particular de Dios, ¿QUÉ RAZÓN TIENE PARA RECOMPENSARLOS?

Si es inconcebible, ¿POR QUÉ OCUPARNOS DE ÉL ENTONCES?

Si es todopoderoso, ¿CÓMO PERMITE LA BLASFEMIA..?

Si dictó sus leyes, ¿POR QUÉ PERMITE QUE LAS VIOLEN EN PRIMER LUGAR SUS "MINISTROS"..?

Si es infinitamente sabio, ¿POR QUÉ PERMITE QUE SUS MINISTROS SEAN TAN IGNORANTES..?

Si Dios mandó a su Hijo a fundar una <u>única</u> fe, ¿CÓMO ES QUE HAY TANTAS Y PELEÁNDOSE ENTRE SÍ..?

Adventistas / Baptistas/ Católicos/ Apóstoles de Cristo/ Mormones/ Presbiterianos/ Congregacionalistas/ Teosofistas/ Cristadelfos/ Darbitas/ Ortodoxos/ Pentecostales/ Cuáqueros/ Unitarios/ Menonitas/ Testigos de Jehová/ Fundamentalistas/ Tradicionalistas/ Metodistas/ Evangelistas/ Nueva Jerusalem/ Rosacruces/ Ejército de Salvación/ Maronitas/ No other Gospel. Luteranos/ Anabaptistas /Espiritualistas/ Orientalistas/ Anglicanos/ Hijos ...tos/ Calvinistas/ Escoceses/ Ecuménicos/Old... ...Galicanos/ Lefebristas/ La ciencia Cristia... ...Adventistas del Septimo Día /Antoinistas/ ...as Reformados/Etcétera..

115

NINGUNA "PRUEBA" APORTADA POR LA IGLESIA Y SUS TEÓLOGOS NOS PRUEBA LA EXISTENCIA DE DIOS (DE SUS TRES DIOSES, MEJOR DICHO) SON PRUEBAS CONTRA LA RAZÓN, LA LÓGICA Y LA VERDAD, QUE NOS DAN LA TRANQUILIDAD NECESARIA PARA DECIR NUEVAMENTE Y CON TODA SEGURIDAD ESTA VERDAD:

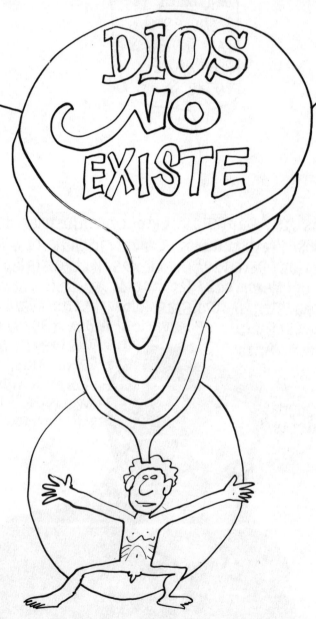

DIOS NO EXISTE

LO CUAL, OBVIAMENTE, NO ES UN DOGMA DE FE: SI A PESAR DE ELLO USTED QUIERE SEGUIR CREYENDO EN DIOS, REZÁNDOLE, MANTENIENDO A LOS VAGOS QUE SE DICEN SUS REPRESENTANTES Y ECHÁNDOLE LA CULPA DE NO GANARSE LA LOTERÍA, ESTÁ USTED EN LIBERTAD DE HACERLO...

YA LO DECÍA MÁXIMO GORKI: "CREER EN ALGO, SIEMPRE ES GARANTÍA DE TRANQUILIDAD" ESTE LIBRO NO INTENTA IMPONER EN EL LECTOR EL ATEÍSMO, SINO ÚNICAMENTE DAR ARGUMENTOS E IDEAS MAQUIAVÉLICAS PARA SER USADAS O NO...ACEPTADAS O NO. (NO ES UN LIBRO CRISTIANO, PUES...)

¡ES UN LIBRO COMUNISTA: EL COMUNISMO TRATA DE ACABAR CON LA RELIGIÓN!

¿PARA QUÉ? LA IGLESIA YA LO ESTÁ HACIENDO CON MÁS ÉXITO...

NO SOLO ES LA CIENCIA Y EL USO CADA VEZ MÁS GENERALIZADO DE LA RAZÓN LO QUE ESTÁ ABRIENDO LOS OJOS DE LA GENTE Y ALEJÁNDOLA DE LA RELIGIÓN ORGANIZADA...

TAMBIÉN LA RELIGIÓN ORGANIZADA ESTÁ ALEJANDO DE DIOS A LA GENTE...

¿CÓMO?

PUES MUY SENCILLO: LA GENTE ESTÁ CADA VEZ MÁS CONVENCIDA DE QUE LAS IGLESIAS NO TIENEN NINGUNA RELACIÓN CON LAS IDEAS DE CRISTO Y SÓLO SON ALIADAS DE LAS CLASES RICAS Y EXPLOTADORAS...

¡EL DIABLO! ¿QUIÉN MÁS PUEDE METERLE TALES IDEAS A LA GENTE?

¡EL MARXISMO!

NO EXAGEREN SEÑORES CURAS: CIERTO QUE EL MARXISMO LES HA QUITADO MUCHA CLIENTELA PERO RECONOZCAN QUE LA ACTUACIÓN DE LA IGLESIA EN EL CURSO DE LA HISTORIA, SU NEGATIVA AL CAMBIO Y SUS ALIANZAS CON LOS EXPLOTADORES, LA HAN CONVERTIDO EN LA GRAN FÁBRICA DE ATEOS Y DESCREÍDOS

A DIOS GRACIAS

¿QUIERE DECIR QUE EL CRISTIANISMO ES ENEMIGO DE CRISTO?

ASÍ ES: LO INVITO A LA DEMOSTRACIÓN..

119

DE CÓMO LA IGLESIA, ADMINISTRADORA DE LOS BIENES DE CRISTO (QUE ERA POBRE) HA UTILIZADO SU FIGURA PARA EXPLOTAR LA CREDULIDAD HUMANA..

DE CÓMO LA IGLESIA HA FALSEADO A CRISTO PARA CREAR UN PODER TERRENAL Y MANTENER SOMETIDA EN LA IGNORANCIA Y LA MISERIA A LOS QUE SE DEJAN...

de cómo, en fin, se ha venido poco a poco apareciendo la VERDADERA personalidad de ese hombre llamado JESUS

HECHO DIOS POR LA GRACIA DEL HOMBRE..

la
explotación
del cristo por
el hombre

JESUCRISTO NO VINO A ESTE MUNDO A FUNDAR NINGUNA IGLESIA, DADO QUE <u>NO</u> ERA HIJO DE DIOS, SINO DE JOSÉ, UN CARPINTERO VIUDO LLENO DE HIJOS (ELEAZAR, CLEOFAS, MATÍAS, SIMÓN Y JUDAS) CASADO EN SEGUNDAS NUPCIAS CON MARÍA, CON QUIEN PROCREÓ OTROS CINCO: JESÚS, EFRAÍN, ANDRÉS, ANA Y SANTIAGO. (Y DOS MÁS, JOSÉ E ISABEL, SEGÚN OTROS HISTORIADORES).

ESTA ES LA VERDAD HISTÓRICA DE JESÚS, A QUIEN LA IGLESIA HA NOMBRADO DIOS

LOS CRISTIANOS CREEN LO QUE LA IGLESIA QUIERE QUE CREAN.

LA IGLESIA DICE QUE JESUCRISTO (HIJO DE DIOS) VINO A FUNDARLA

¿CÓMO FUE LA FUNDACIÓN DE LA IGLESIA CATÓLICA..?

"Jesucristo eligió 12 apóstoles, los instruyó durante 3 años, les comunicó sus poderes y los envió a predicar el Evangelio por todo el mundo." (LA IGLESIA)

¿ES CIERTO?

(COMO YA ES COSTUMBRE EN ESTE LIBRO, NO ES CIERTO..)

tampoco...

ES MÁS: LOS TEÓLOGOS DUDAN QUE CRISTO HAYA DICHO ESAS PALABRAS..

..Y CREEN QUE SAN PEDRO SE LAS HIZO PONER EN BOCA DE CRISTO PARA HACERSE NOMBRAR SU "SUCESOR": NO OLVIDAR QUE LOS EVANGELIOS SE ESCRIBIERON 50 AÑOS DESPUÉS DE SU MUERTE (de CRISTO)

(Lo mismo sucede con la pretendida crucifixión "al revés" de San Pedro: ninguna prueba histórica la demuestra)

DEJÉMONOS MEJOR DE CHISMES Y LEYENDAS, PARA PASAR A LA REAL HISTORIA DEL CRISTIANISMO:

→ POR SIGLOS Y SIGLOS, LA HISTORIA DE LA HUMANIDAD FUE ESCRITA BAJO LOS DICTADOS DE LA IGLESIA CATÓLICA ROMANA: LA HISTORIA QUE CONOCEMOS FUE HECHA PARA HACER APARECER A CRISTO Y A LA IGLESIA COMO LO MÁXIMO Y LO ÚNICO..

SÓLO EN LOS ÚLTIMOS AÑOS LOS HISTORIADORES SE HAN LIBERADO DE LA PRESIÓN RELIGIOSA PARA DEDICARSE "EN SERIO" A LA INVESTIGACIÓN...

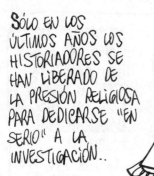

VAYA: PORQUE ANTES LA HISTORIA DE FRANCIA ERA LA HISTORIA DE LA IGLESIA FRANCESA

Y ANTE LAS ABRUMADORAS VERDADES QUE HAN SALIDO A LA LUZ, LA IGLESIA HA TENIDO QUE RECONOCER -EN 1969- QUE LA MAYORÍA DE LOS LLAMADOS "SANTOS" VENERADOS DURANTE SIGLOS, NO FUERON MÁS QUE LEYENDA O DIOSES ROMANOS REBAUTIZADOS CON NOMBRE CRISTIANO.

ASÍ COMO QUE LA INMENSA MAYORÍA DE PAPAS "SUCESORES DE SAN PEDRO" NO FUERON MÁS QUE AMBICIOSOS OBISPOS ANSIOSOS DE PODER, ASESINOS MUCHOS DE ELLOS, CORRUPTOS PRINCIPITOS LLENOS DE HIJOS BASTARDOS, INTERESADOS SOLO EN EL TRONO DE LOS ENORMES TERRITORIOS CONTROLADOS POR LA "IGLESIA DE CRISTO"...

LA HISTORIA DEL CRISTIANISMO ES UNA HISTORIA FRAUDULENTA LLENA DE MENTIRAS, CUENTOS, FALSEDADES Y MITOS, UTILIZADOS SABIAMENTE PARA HACER APARECER A LA RELIGION CRISTIANA COMO LA ÚNICA INSPIRADA POR DIOS Y A SU IGLESIA COMO LA "IGLESIA DE JESUCRISTO"...

LAS DUDAS QUE LOS HISTORIADORES TENÍAN SOBRE CRISTO Y SU "IGLESIA" TUVIERON UNA INESPERADA AYUDA UN DÍA DE LA PRIMAVERA DE 1947...

los manuscritos del Mar Muerto

MUHAMMAD ED-DIB, UN JOVEN PASTOR DE LA TRIBU TA'AMIRA DESCUBRIÓ SOBRE LA PENDIENTE ROCOSA QUE DESCIENDE DEL DESIERTO DE JUDÁ AL MAR MUERTO, UNA GRUTA LLENA DE MANUSCRITOS..

(ELLO FUE EN 1945)

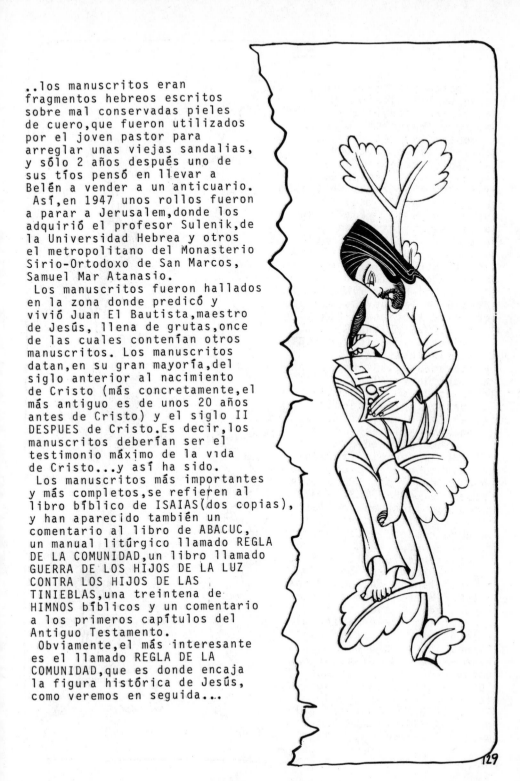

..los manuscritos eran
fragmentos hebreos escritos
sobre mal conservadas pieles
de cuero,que fueron utilizados
por el joven pastor para
arreglar unas viejas sandalias,
y sólo 2 años después uno de
sus tíos pensó en llevar a
Belén a vender a un anticuario.

Así,en 1947 unos rollos fueron
a parar a Jerusalem,donde los
adquirió el profesor Sulenik,de
la Universidad Hebrea y otros
el metropolitano del Monasterio
Sirio-Ortodoxo de San Marcos,
Samuel Mar Atanasio.

Los manuscritos fueron hallados
en la zona donde predicó y
vivió Juan El Bautista,maestro
de Jesús, llena de grutas,once
de las cuales contenían otros
manuscritos. Los manuscritos
datan,en su gran mayoría,del
siglo anterior al nacimiento
de Cristo (más concretamente,el
más antiguo es de unos 20 años
antes de Cristo) y el siglo II
DESPUES de Cristo.Es decir,los
manuscritos deberían ser el
testimonio máximo de la vida
de Cristo...y así ha sido.

Los manuscritos más importantes
y más completos,se refieren al
libro bíblico de ISAIAS(dos copias),
y han aparecido también un
comentario al libro de ABACUC,
un manual litúrgico llamado REGLA
DE LA COMUNIDAD,un libro llamado
GUERRA DE LOS HIJOS DE LA LUZ
CONTRA LOS HIJOS DE LAS
TINIEBLAS,una treintena de
HIMNOS bíblicos y un comentario
a los primeros capítulos del
Antiguo Testamento.

Obviamente,el más interesante
es el llamado REGLA DE LA
COMUNIDAD,que es donde encaja
la figura histórica de Jesús,
como veremos en seguida...

Los textos,ya traducidos,
reflejan las ideas de un
movimiento religioso autónomo
frente al hebraísmo oficial y
en oposición a él,donde se
habla de la NUEVA ALIANZA,de
un "pacto" establecido entre
Jehová y un personaje que
vivió 100 años antes de Cristo.
La organización requería de
sus miembros la práctica de
varios ritos entre los que
destacan: a) el BAUTISMO,
b)la CONFESION DE LOS PECADOS
y c) la EUCARISTIA,o sea el
alimento consumido en común
en forma de PAN y VINO. La
adhesión a la nueva comunidad
implicaba también la RENUNCIA
A LOS BIENES PRIVADOS.
(Todo esto coincide perfecta-
mente con Jesucristo...)
Curiosamente,la traducción
real de "Nueva Alianza" al
latín es NUEVO TESTAMENTO y
la traducción del término
hebreo "mashiah"(Mesías) al
griego es "jristós"(cristo).
Esto viene al caso,porque a
raíz de la derrota final del
movimiento hebreo contra los
romanos en el año 70 d.C.,los
grupos del NUEVO TESTAMENTO y
otros que luchaban con las
armas en la mano contra el
imperio romano,se dispersaron
por el mundo y eran llamados
precisamente "CRISTIANOS"...
Esta es la dirección en que
la importancia de los rollos
del Mar Muerto adquiere una
fantástica categoría: los
manuscritos vienen a ser el
eslabón perdido entre los
Evangelios y la Biblia. En los
pasajes de los rollos se han
encontrado nada menos que
500 pasajes comunes a los
textos del llamado NUEVO
TESTAMENTO.En ellos se habla
de un MAESTRO DE JUSTICIA,
mediador entre Dios y los

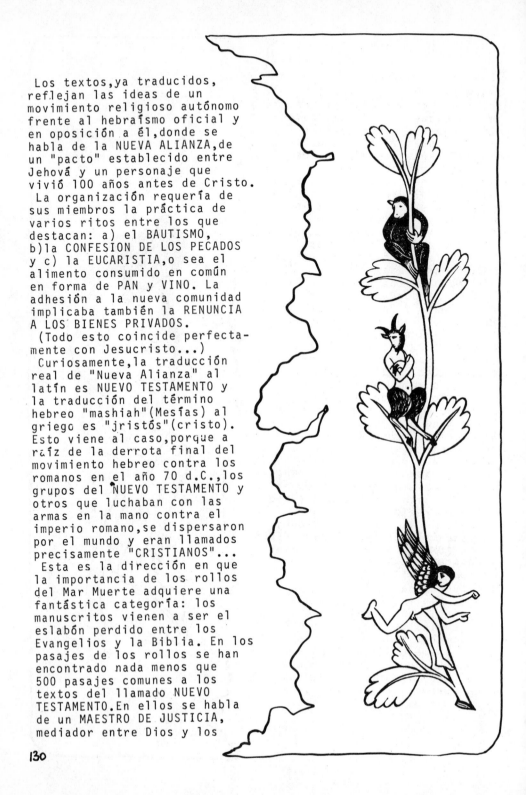

hombres, a quien "le habían sido revelados todos los misterios" y que "había recibido una misión extraordinaria para los hijos de la gracia". Estamos pues en plena ideología cristiana...

Pero hay más datos curiosos: entre esos grupos "subversivos" y fanáticos se encuentran varios que coinciden con los nombres que recibieron Cristo y sus discípulos en los Evangelios: los ESENIOS, los CELOTAS, los NAZARENOS, los GALILEOS, los MANDEOS y otros. A uno de los discípulos de Cristo se le llama en los primeros textos cristianos del siglo II, "Simón el Celota". ¿Qué se podría concluir de todo ésto?

Una hipótesis que parece ser la más aceptada por historiadores y teólogos de todo el mundo es la siguiente :

JESUS (hijo de José y María y no del Espíritu Santo) perteneció desde su juventud a una de estas sectas. Por ello fue BAUTIZADO por Juan el Bautista, dedicándose los últimos años de su vida a la agitación contra los jerarcas hebreos (fariseos y saduceos) que se habían plegado al dominio romano. Denunciado por los mismos hebreos al gobierno virreinal romano, fue juzgado, sentenciado a muerte y crucificado (tal y como el MAESTRO DE JUSTICIA de los Rollos), aunque no se haya aparecido a sus doce discípulos, como según el Rollo ocurrió con el Maestro. Posteriormente, sus compañeros prosiguieron en su lucha y se dispersaron cuando Roma acabó con Jerusalem, creándose la leyenda del MESIAS que se convirtió 3 siglos más tarde en el "Cristianismo".

Todo coincide con esta versión: la historia, la lógica y el sentido común y científico. Lo demás es pura y celestial TEOLOGIA, es decir inventos píos de la Santa Madre Iglesia Católica...

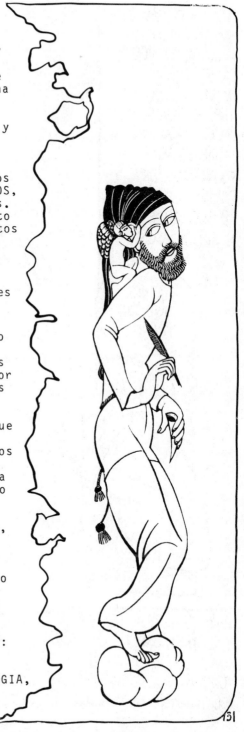

ASÍ, LA FIGURA DE CRISTO-GUERRILLERO A SU MODO CONTRA LA DOMINACIÓN IMPERIALISTA- FUE TRANSFORMADA NADA MENOS QUE EN "HIJO DE DIOS" Y EXPLOTADA BIEN Y BONITO DESDE HACE 18 SIGLOS POR ROMA Y SUCURSALES..

¡YA NOS CAYERON, PEDRO!

FARSANTES!

PERO FRENTE A LA FARSA RELIGIOSA ENEMIGA DE LA VERDAD, LA CIENCIA Y EL PROGRESO DE LA HUMANIDAD (qué frase!), EL HOMBRE SIEMPRE HA LUCHADO-AUN A COSTA DE SU VIDA- POR DESCUBRIR LA VERDAD Y POR VENCER EL OSCURANTISMO RELIGIOSO. LA HISTORIA DEL PENSAMIENTO DEL HOMBRE ES POR ELLO LA HISTORIA (Y EL TRIUNFO) DEL ATEÍSMO...

cogito, ergo sum

..O YA EN CRISTIANO, PIENSO, LUEGO, EXISTO ! (O LOS HOMBRES SIN AMO Y SIN DIOS..)

PENSAR HA SIDO FACIL PARA EL HOMBRE, NO ASI DAR A CONOCER SU PENSAMIENTO...

ESCOGE: PIENSAS O TIENES FE..

O HAZ COMO YO: PIENSA QUE TIENES FE..

LA LLEGADA DEL CRISTIANISMO COMO RELIGION OFICIAL DEL ESTADO (EN ESTE CASO, DEL IMPERIO ROMANO), ACABÓ CON LA TOLERANCIA HACIA QUIENES CREIAN EN OTROS DIOSES (O NO CREIAN EN NINGUNO).

DESDE SUS INICIOS, EL PAPADO SE CONSTITUYÓ EN UN FEROZ PERSEGUIDOR DE LOS "HEREJES, INFIELES Y ATEOS", QUE PONIAN EN DUDA A JESUCRISTO COMO HIJO DE DIOS Y A LA IGLESIA COMO SU "REPRESENTANTE"..

¿AL PASTOR O EN LEÑA VERDE?

POR SIGLOS Y SIGLOS, LA IGLESIA OBLIGÓ A LA GENTE A CREER EN SUS DOCTRINAS, BAJO PENA DE MUERTE (Y DE PILÓN, INFIERNO EN LA "OTRA" VIDA...) QUIEN SE ATREVÍA A DUDAR DE LAS ENSEÑANZAS DEL PAPA, SE LAS TENÍA QUE VER CON LA SANTÍSIMA INQUISICIÓN (CRISTIANA, OF COURSE)

NO PIENSO, LUEGO, EXISTO..

NO PENSAR, ERA GARANTÍA DE SEGUIR CON VIDA (Y LLENO DE FE)

TENER FE
Y RENUNCIAR
AL USO DE LA
RAZÓN, ERA LA
MUERTE...

¿ NO CREES QUE MARIA TUVO UN HIJO DIVINO Y SIGUIÓ SIENDO VIRGEN ?

NO..

DE 1481 A 1808, <u>SÓLO EN ESPAÑA</u>, LA SANTA INQUISICIÓN QUEMÓ VIVOS A...32,472 POR CUESTIONES DE RELIGIÓN. (SIN CONTAR LAS VÍCTIMAS DE HOLANDA, FRANCIA, ITALIA O LAS INDIAS), TODO EN NOMBRE DE JESUCRISTO.

" CONDENADOS A CARCEL O GALERAS: 352,732.."

Y NO OLVIDAR QUE LA IGLESIA CATÓLICA FUE LA MADRE INVENTORA DEL **ANTISEMITISMO,** SIENDO HITLER SÓLO UN MODESTO DISCÍPULO SEGUIDOR DE LAS ENSEÑANZAS DE ROMA..

¿ QUIÉN MATÓ MÁS JUDÍOS = LA IGLESIA CATÓLICA O HITLER..?

HIJOS PREDILECTOS. DE DIOS, SEGÚN LA BIBLIA, LOS JUDÍOS CAYERON DE LA GRACIA DE SU HIJO - DIJO LA IGLESIA - Y DURANTE 19 SIGLOS FUERON PERSEGUIDOS Y ASESINADOS POR LOS CATÓLICOS Y DEMÁS CRISTIANOS.

POR NO CREER EN JESÚS COMO DIOS..

..Y POR LO MISMO MURIERON MILES DE AFRICANOS, ASIÁTICOS, AUSTRALIANOS, ÁRABES, LATINOS Y DEMÁS INFIELES: POR FALTA DE FE EN EL NUEVO DIOS DE LOS BLANCOS.. ¡VAYA RELIGIÓN!

(Y HABLANDO DE HITLER, ES NECESARIO SABER QUE EL PARANOICO SUJETO ERA CATÓLICO, QUE NUNCA DEJÓ LA IGLESIA, QUE NUNCA FUE EXCOMULGADO, Y QUE SU LIBRO "MEIN KAMPF" (MI LUCHA)...

¡NUNCA FUE PUESTO EN EL INDEX DE LOS LIBROS PROHIBIDOS POR EL VATICANO!

Y NO OLVIDAR QUE LAS IGLESIAS APOYARON OFICIALMENTE A HITLER EN SU CAMPAÑA DE EXTERMINIO DE JUDÍOS.. Y "ROJOS"

"Necesitamos soldados obedientes"- dijo a la Jerarquía Católica Polaca- "por ello no me opongo a que se siga enseñando la religión en las Escuelas de Polonia.."

139

Y POR EL CONTRARIO, CUANDO ALGUN CONQUISTADOR MISIONERO Y "PROPAGADOR DE LA FE" CAIA MUERTO A MANOS DE LOS INFIELES, LA IGLESIA LO DECLARABA "SANTO" Y LO INGRESABA A LA LISTA DE NUEVOS DIOSES A ADORAR Y POR QUIEN SEGUIR MATANDO (AL CIEN POR UNO) MAS HEREJES, INFIELES Y ATEOS. ¿NO ES DIVINO?

MENU JESUITA AL VAPOR

DE ENTRE ESOS MILLONES DE MUERTOS "POR NO CREER", HEMOS ESCOGIDO ALGUNOS TESTIMONIOS. TAMBIÉN DE ALGUNOS QUE, SIN MORIR A MANOS DE LA FE, PREFIRIERON PENSAR A CREER...

(Una brevísima Antología del Ateísmo...)

SAMUEL LANGHORNE CLEMENS (MARK TWAIN)

```
*************************************
```

"¿Cómo se puede tener orden en un estado sin religión? La religión es un formidable medio para tener quieta a la gente..."
NAPOLEON BONAPARTE

```
*************************************
```

"Si Cristo volviera, sería todo... menos cristiano.."
MARK TWAIN /escritor norteamericano.

```
*************************************
```

"De chico creí en Dios, pero en cuanto logré unir dos pensamientos, se me olvidó que existía. Creo que Dios es una necesidad para mucha gente, lo que no demuestra que exista.."
HENRYK IBSEN /dramaturgo noruego

```
*************************************************************
```

"No es evidente que Dios exista "
SANTO TOMAS DE AQUINO./teólogo

```
*************************************
```

"Mis primeras ideas sobre lo irrazonable del método cristiano de salvación y sobre el origen humano de las Escrituras no han cambiado al paso de los años, ni creo que cambiarán."

ABRAHAM LINCOLN

```
*************************************
```

"La miseria religiosa es, por una parte, la expresión de la miseria real y por la otra la protesta contra la miseria real. La religión es el suspiro de una criatura oprimida, el corazón de un mundo sin corazón, así como el espíritu de una situación carente de espíritu. LA RELIGION ES EL OPIO DEL PUEBLO. La abolición de la religión en cuanto dicha ilusoria del pueblo, es necesaria para su dicha real..."
CARLOS MARX /filósofo alemán.

```
*************************************
```

"La religión no es otra cosa que el reflejo fantástico que proyectan en la cabeza de los hombres aquellas fuerzas externas que gobiernan su vida diaria, un reflejo en que las fuerzas terrenales revisten la forma de poderes sobrenaturales"/ENGELS.

"Toda religión es un insulto a
la dignidad mental del hombre,
pero principalmente la religión
católica,que ha elaborado dogmas
contrarios a la razón humana."
 "La Iglesia católica es lo más
hostil que hay contra la libertad
del hombre y la estimulación del
bien: el mejor organizado sistema
de la aberración y el prejuicio,
la estupidez y la falacia.Yo
creo que la religión católica es
el enemigo número uno de la
humanidad pensante.."
H.G.WELLS /escritor inglés

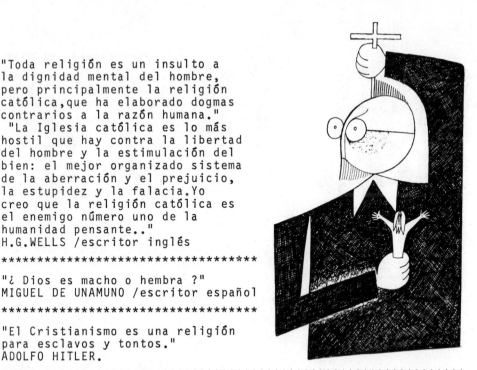

****

"¿ Dios es macho o hembra ?"
MIGUEL DE UNAMUNO /escritor español

****

"El Cristianismo es una religión
para esclavos y tontos."
ADOLFO HITLER.

****

"Estoy persuadido de que Dios no
creó al mundo,pero sí de que el
mundo está creando a Dios."

BERTRAND RUSSELL /filósofo inglés.

****

"Si tuviera necesidad de vivir muy
tranquilo,sin preocuparme de la
desgracia ajena,creería en Dios,
pues así tendría la seguridad de
que él se ocuparía de resolver las
desgracias humanas. Desgraciadamente
la misma existencia de la desgracia
humana,de la injusticia y el dolo,
me dicen que no hay tal Dios ."

FIODOR DOSTOYEVSKY /escritor ruso
****
"Este mundo sería el mejor de todos
los mundos posibles si no hubiera
ninguna religión."
JOHN ADAMS/presidente de USA.
****
"La razón pura no puede probar la
existencia de Dios. "
IMMANUEL KANT /filósofo alemán.

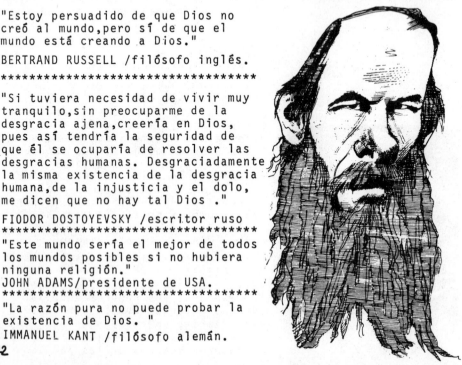

"Contra todas las apariencias,en las que por otra parte estén todos aparentemente de acuerdo,avanzamos guiados por la razón. Y la razón nos pide siempre pruebas que,tarde o temprano,van y acaban con las apariencias. Bien lo dice el dicho popular: "las apariencias engañan"; la razón no engaña,pero es difícil que se imponga a las apariencias."

GALILEO

****

"Yo no puedo ser religioso ni creer en Dios. Prefiero la filosofía a la religión,pues no puedo poseer al mismo tiempo lo evidente y lo incomprensible."
PIERRE BAYLE/filósofo (1674-1706)

****

"Lo que me ha puesto a pensar en lo falso de la religión cristiana, es su nula tolerancia hacia las otras religiones...Dado que los dogmas cristianos no pueden ser tomados como la verdad,cualquier otra doctrina religiosa distinta a la oficial debería tener el mismo derecho a existir y practicarse,si así lo desearan los hombres."
JOHN MILTON/escritor inglés

****

"Millones de seres inocentes,hombres,mujeres y niños,desde la introducción del Cristianismo, han sido torturados,asesinados, quemados,puestos en prisión,y sin embargo no hemos avanzado ni una pulgada hacia el consenso general. ¿Cual ha sido el efecto de obligar a la gente a creer? Que la mitad de la humanidad vive engañada y la otra mitad vive en la hipocresía,con tal de que el error y la mentira no desaparezcan del mundo..."
THOMAS JEFFERSON

****

"Los sentimientos de "amor y temor de Dios" no tienen su origen en Dios,sino en los seres humanos.Son sentimientos de frustración dirigidos por el hombre a un ser imaginario que pretende sea su padre..."

SIGMUND FREUD

****

*****************************̱***

"Si pensáramos que Dios está al
pendiente de la Tierra y sus
habitantes,que se preocupa porque
se respeten sus leyes y se haga
su voluntad,debemos llegar a la
conclusión de que Dios ha sido
derrotado por los hombres,ya que
en la Tierra nadie hace su voluntad,ni respeta sus leyes. Creo
que el hombre se ha creado un
Dios absurdo,es decir,un Dios a
su imagen y semejanza.."
THOMAS MANN /escritor alemán

Thomas Mann

****

"No creo en lo que enseña la
iglesia judía,ni la iglesia de
Roma,ni la turca,ni la griega,ni
la hebrea,ni la iglesia de los
Protestantes,ni ninguna iglesia
de las conocidas. Mi mente es mi
única iglesia. Todas las
religiones no son otra cosa que
invenciones humanas para
aterrorizar y mantener esclava a
la humanidad y monopolizar el
poder y el dinero."
THOMAS PAINE /filósofo americano

****

"Dios es,histórica y cotidianamente,sobre todo, un complejo de
ideas engendradas por la bestialización del hombre y por la naturaleza que lo rodea,así como por el yugo de clase; ideas que
sirven para afianzar la opresión y adormecer la lucha de clases.
  La impotencia de las clases explotadas en su lucha contra los
explotadores,engendra la fe en una vida mejor más allá de la
muerte, tan inevitable como la impotencia del salvaje en su lucha con la naturaleza engendra la fe en los dioses,los demonios,
los milagros,etc. A aquel que trabaja y padece miseria toda su
vida,la religión le enseña a ser humilde y resignado en la vida
terrenal y a reconfortarse en la esperanza del premio celestial"

LENIN.

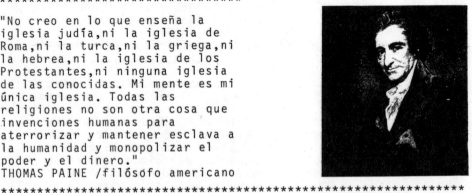

"Considerando imposible demostrar la existencia de Dios y de
las vivencias religiosas,me inclino porque se utilice sin embargo la predicación de la moral religiosa en el pueblo,pese a que
siglos de predicación no hayan dado mucho resultado positivo."
DAVID HUME /filósofo inglés

**,

"Si los milagros existen, es sólo
porque no conocemos bastante la
Naturaleza y no porque sean auténticos o verídicos..."
MONTAIGNE (1533-1592)

****

"La búsqueda de Dios es una
ocupación inútil,pues no hay nada
que buscar donde nada existe. A
los dioses no se les busca: se
les crea..."

MAXIMO GORKI /escritor ruso

************************************,

"La religión como se concibe en
nuestros días,es una maldita farsa.
Mi mente es incapaz de concebir
una cosa tan absurda como la existencia del alma. No lo puedo
creer simplemente..."
EDISON/científico norteamericano

****

"Debemos estar siempre dispuestos a
creer que lo blanco es negro, si
así lo manda la jerarquía de la
Santa Madre Iglesia.."
SAN IGNACIO DE LOYOLA

****

"Creo que la religión es la creencia
en Dios y la otra vida.Yo no creo
en ninguna de las dos cosas.Yo no
creo en Dios igual que no creo en
la Mother Goose.."
CLARENCE DARROW /abogado

****

"Por simple sentido común no creo en Dios,en ninguno." /CHAPLIN.

"Podría existir un Dios justo,noble,bondadoso e interesado en
la humanidad,si así decidiéramos crearlo los hombres. Pero no
nos serviría de nada: sería un Dios idealizado,no humanizado."
BALZAC /Escritor francés
****

"Todos los individuos,en toda situación,
bajo todos los cielos y con todas las
filosofías,se esfuerzan obstinada e
insistentemente en engañarse a sí mismos.
  Según su inteligencia,sus intentos eran
más bien débiles o más torpes; algunos no
lo lograban consigo mismos,pero sí con los
demás; en tanto que a otros les ocurría
inversamente. Pero siempre parecían los
impulsos demasiado débiles para triunfar
sin santificación. Cuando la masa hormi-
gueante de los seres en el astro volante
se hubo conocido y experimentado su
incomprensible abandono,había inventado
sudando a Dios,a quien nadie veía,de
modo que ninguno pudiera decir que no lo
había o que no lo había visto.."
BERTOLT BRECH/ Dramaturgo alemán

Bertolt Brecht, autorretrato

****

"DEJEMOS EL PARAISO A LOS ANGELES Y A LOS TONTOS" / Heine

****

"No puedo imaginarme a un Dios que
premia y castiga a los objetos de
su creación,cuyos propósitos han sido
modelados bajo el suyo propio; un
Dios -para acabar pronto- que no es
más que el reflejo de la debilidad
humana. Tampoco creo que el individuo
sobreviva a la muerte de su cuerpo:
esos pensamientos no son más que
pensamientos de miedo o egoísmo de
lo mas ridículo..."
ALBERT EINSTEIN /científico alemán

****
"Yo creo que la religión,cualquier religión, no es más que un
estorbo para la Humanidad. La fe en un Dios tonto,es unicamente
para tontos que no saben hacer uso de la razón."
H.L.MENCKEN/ escritor norteamericano
****
"Yo afortunadamente no tengo necesidad de creer en Dios ".
LAPLACE / sabio francés
****

¿ QUIERE CONOCER QUIENES MÁS HAN SIDO ATEOS ? ◎ ⟶

JUAN MONET DE LAMARCK
Naturalista francés, fundador de la 'teoría de la Evolución

> NEWTON, DARWIN, GOETHE, MAQUIAVELO, RALPH WALDO EMERSON, JOSEPH CONRAD, WALT WHITMAN, POE, JUNG..

> RABELAIS, VOLTAIRE, MARCEL PROUST, LORD BYRON, JEAN COCTEAU, ANDRÉ MALRAUX, ROSA LUXEMBURGO, CHEJOV, PAVLOV, WILLIAM FAULKNER..

BENJAMIN FRANKLIN, OMAR KHAYAM, FRANCIS BACON, JOHN DEWEY, ALBERT SCHWITZER, SPINOZA, SCHOPENHAUER, MIGUEL SERVETIUS, HAVELOCK ELLIS, ALDOUS HUXLEY, CAMUS, GEORGE SANTAYANA, NIETZSCHE, HERBERT SPENCER, GIORDANO BRUNO, IONESCO, JEAN GENET, MAIAKOVSKI, WILHELM REICH, JAMES JOYCE, ARTHUR MILLER, PABLO PICASSO, INGMAR BERGMAN, DIEGO RIVERA, ISADORA DUNCAN, STRAVINSKY, MATISSE, EL BOSCO, PAUL GAUGUIN, ARNOLD TONYBEE, J. JACOBO ROSSEAU, PROUST, SARTRE, EL NIGROMANTE, RABELAIS, EMIL ZOLÁ, BENITO JUAREZ, JOSÉ MARTÍ, GRAMSCI, SIMONE DE BEAUVOIR, BERNARD SHAW, ORWELL, HAROLD PINTER, FRANZ KAFKA, BAKUNIN, ERNEST HEMINGWAY, T.S. ELLIOT, CHARLES LINDBERGH...

¿ Le seguimos..?

¿ Le dice a usted algo que lo mejorcito que ha dado la Humanidad no crea en Dios y denuncie a la Religión como una farsa explotadora del Hombre...?

¿ Le dice también algo el hecho de que las doctrinas ateas, "enemigas de la Iglesia y la civilización cristiana", es decir el MARXISMO, estén ganando la batalla por hacer un mundo más justo..?

¿ Se ha puesto a pensar que si DIOS EXISTIERA no haría falta probar su existencia?

Es que el ANTICRISTO ha llegado..

SI PRECISAMENTE LO QUE IMPIDE QUE EL MUNDO MEJORE, QUE LA HUMANIDAD AVANCE ¡ES LA RELIGIÓN!

¿O NO ES ACASO LA RELIGIÓN -CUALQUIER RELIGIÓN- LA QUE SE OPONE AL AVANCE DE LA CIENCIA, AL JUSTO REPARTO DE LA RIQUEZA, A LA EDUCACIÓN LIBRE, A LA LIBERACIÓN DE LA MUJER (ver Aborto), A LA REFORMA AGRARIA; A LA LIBRE CÁTEDRA Y A LAS REVOLUCIONES?

PROTECTORA DE LA IGNORANCIA Y EL FANATISMO (¿NO organiza la Iglesia procesiones para que llueva?), LA IGLESIA QUE SE AUTOLLAMA CRISTIANA HA SIDO Y ES LA PEOR ENEMIGA DE LAS IDEAS, DE LA JUSTICIA Y LA LIBERTAD DEL SER HUMANO..

¿No se opone la Iglesia, aún hoy, al DIVORCIO?

¿Y al control natal?

¡Malditos! Negando a Dios caéis en el pecado..!!

FOMENTADORA Y EXPLOTADORA DEL "TEMOR" A LA IRA DE LOS DIOSES, LA RELIGIÓN COMO PARTE SUSTANCIAL DEL CAPITALISMO EXPLOTADOR DEL HOMBRE, VA EN RETIRADA..

A DIOS gracias..

150

CAPITAL RELIGION MILITARISMO

SOLO CUANDO LA **SANTISIMA TRINIDAD** QUE POR SIGLOS HA REGIDO AL MUNDO, DESAPAREZCA COMO PODER, EL MUNDO SERÁ LIBRE...

FREE RELIGION'S PRISONERS

→ LA IGLESIA "LAMENTA" QUE EL HOMBRE, NEGANDO A DIOS, INTENTE VALERSE ÚNICAMENTE POR SÍ MISMO. ESA POSTURA CONSTITUYE PRECISAMENTE LA GLORIA SUPREMA DEL HOMBRE, LA ESENCIA FUNDAMENTAL DE LA NATURALEZA HUMANA:

EL HOMBRE SOSTENIDO POR SÍ MISMO.

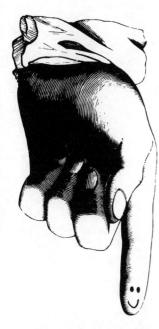

BIBLIOGRAFIA

- Historia de las religiones / AMBROGIO DONINI / Edit. Política. LA HABANA, 1963

- La religión demostrada / P. Hillaire / EDIT. DIFUSION / BUENOS AIRES, 1943

- The misery of Christianity / JOACHIM KAHL / Pelikan BOOK / LONDON, 1971

- Los rollos del Mar Muerto / E. WILSON / Fondo de Cult. Popular Económica / MEXICO, 1966

- La Comunidad del Mar Muerto / KURT SCHUBERT / UTEHA, MEXICO, 1961

- Por qué no soy cristiano / BERTRAND RUSSELL / HERMES, Mexico, 1965

- Ciencia, religión y Socialismo / J. NEEDHAM / Crítica. GRIJALBO / Barcelona, 1978

- Religión y Ciencia / BERTRAND RUSSELL / Fondo Cultura Económ. / MEXICO, 1951

- A few reasons for doubting the inspiration of the Bible / ROBERT G. INGERSOLL
  AMERICAN ATHEISTS, INC.   AUSTIN, TEXAS 1976

Manual del perfecto ateo, de Eduardo del Río (Rius)
se terminó de imprimir en Mayo de 2005
en los talleres de Programas Educativos, S. A. de C. V.
Calz. Chabacano No. 65, local A, Col. Asturias
C.P. 06850, México, D. F.

Empresa Certificada por el Instituto Mexicano de Normalización y
Certificación A. C. bajo las Normas ISO-9002: 1994 NMX-CC-004:1995
IMNC con el Núm. de Registro RSC-048 e ISO-14001:1996
NMX-SAA-001:1998 IMNC con el Núm. de Registro RSAA-003.